プライドが高くて迷惑な人

片田珠美
Katada Tamami

PHP新書

はじめに

プライドが高すぎるせいで、周囲に迷惑をかける人が増えている。

以前、私がある学会に出席したときのことである。受付のほうから、突然大きな怒鳴り声が聞こえてきた。

「私を誰だと思っているんだ！　大会長を呼べ！」

声の主は高齢の男性であった。彼は顔を真っ赤にして、受付の若い女性に激高《げっこう》していた。よほどのことでもあったのだろうかと思ったが、なんてことはない。受付で名前を聞かれて、参加費を支払うように言われただけのことである。普通なら怒ることでもないが、某大学の名誉教授であり、かつて学会の重鎮でもあった彼には、顔パスできなかったことが気に入らなかったらしい。

受付の女性が未払いの参加者に支払いをお願いするのは、仕事なのだから当然のことである。彼女には何の問題もないにもかかわらず、この名誉教授が激怒したのは、自分が特別扱いしてもらえず、プライドが傷ついたからだろう。かつては学会のスターとしてもてはやされ、マスコミにもしばしば登場していた有名教授だったので、過去の名声を考えるとわからないでもないが、定年退官してもう20年以上も経っている。受付の女性がわからないのも仕方のないことなのだが、最終的に、学会を主催した大学の教授が謝罪する騒ぎにまで発展してしまった。

似たような騒動は、以前勤務していた私立の精神科病院でもあった。普段は病院に顔を見せない理事長が、その日たまたまやって来て、外来診察室に入ろうとした。医師に話があったらしい。ところが、看護師に「今、診察中ですから」と入室を止められてしまう。これに理事長が激怒した。

「誰にもの言っていると思ってるんだ！」

この看護師は入職したばかりで、それまで理事長の顔を見たことがなかった。見たこともない人が、外来診察室にズカズカと入り込もうとするのを止めるのは、当たり前のことである。とくに精神科の診察では、患者さんが自分の秘密を打ち明けることも少な

くないので、部外者に話が漏れ聞こえるようなことがあってはおおごとである。にもかかわらず理事長は、

「あんな失礼な看護師は、患者に対しても失礼な態度をとるだろうから、辞めさせろ」と言い出した。院長が謝罪してその場は収まったものの、その看護師は病院にいづらくなり、依願退職することになってしまった。

普通に考えれば、この看護師には何の問題もない。それでも理事長が激怒したのは、彼にとって医師も看護師も「使用人」であり、「使用人」に適用される規則など、自分には当てはまらないと思っているからである。自分はこの病院の所有者であり、最高権力者なのだ。特別扱いされるべきなのに、看護師風情がたてついて……、というのが正直なところだろう。

名誉教授にせよ、理事長にせよ、「特別扱いされて当然」と思い込む彼らは、その他大勢と同じ扱いをされるのが我慢ならなかったのだ。彼らのプライドは周囲を混乱させるばかりで、本当に困ったものである。

近頃、マスコミで報道される政治家や企業の不祥事とか不正事件とかを例にとっても、当人たちが過ちや不正を認めることを妨げている最大の要因はプライドである。間違ったことをなかなか認められず、その結果、ますます事態を悪化させてしまい、謝罪や辞任をしても、「遅きに失した」などと批判されることになったのだから、プライドというのは、なかなかの難物《なんぶつ》である。

もちろん、プライドがなかったら、それはそれで困る。プライドがあるからこそ、上をめざして頑張ったり、他人のために奉仕したりすることができるのだという方は少なくないだろうから、プライドの効用を否定するつもりはない。

ただ、プライドが高いと、自分のプライドを守るためなら何でもするというふうになりがちなので、本当にはた迷惑である。自分の間違いや失敗を認めないのもそうだが、自慢話を延々として自分の能力や実績を誇示するとか、他人の話を全然聞かずに独り合《が》点《てん》で何でも進めてしまうとか……。あなたのまわりにも「プライドが高くて迷惑な人」がいるのではないだろうか。

こういう人が近くにいると、身の危険を感じるほどではないかもしれないが、イライラするし、腹も立つ。何よりも、厄介《やっかい》なことに巻き込まれたり振り回されたりして、それが積み重なればくたくたに疲れ果ててしまう。そこで、本書では「プライドが高くて迷惑な人」を取り上げて、その心理メカニズムを分析し、有効な処方箋を提案することにしたい。

まず、第1章で「プライドが高くて迷惑な人」とはどんな人なのかを、事例を紹介しながら説明する。第2章では、彼らにどんな特徴があるのか、具体的に述べる。さらに、第3章では、なぜ、こういう人が生まれるのか、その原因を分析する。

後半は、いよいよ処方箋である。第4章では、「プライドが高くて迷惑な人」から実害を受けないためのつき合い方、第5章では、すでに被害を受けている場合の対処法について具体的に説明する。そして最後に、第6章で「プライドが高くて迷惑な人」に自分自身がならないようにするためには、どんなことに気をつければいいのかについて述べることにしたい。

「プライドが高くて迷惑な人」から身を守りたければ、そしてあなた自身がこういう「困ったちゃん」になりたくなければ、是非お読みいただきたい。

プライドが高くて迷惑な人

目次

第2章　どんな特徴があるのか

第3章

なぜ、こういう人が生まれるのか

第4章 どんなふうにつき合えばいいのか

第5章 処方箋

第6章 自分がそうならないために

第1章

あなたのまわりの「プライドが高くて迷惑な人」

「プライドが高くて迷惑な人」は、どこにでもいる。会社や学校、家庭、地域社会。もしかしたら、今あなたの隣にいる人や、あなた自身がそうなのかもしれない。

いったいどんな人なのか。いくつかの事例を紹介しよう。

事例1 密告制度で陰口も許さない、セレブ気取りの若社長

「ストレスで夜も眠れません。朝、出勤しようとすると吐き気がするほどです」

心療内科を受診した20代の男性はこう訴えた。彼が勤務する広告会社の社長は、典型的な「プライドが高くて迷惑な人」だったのだ。彼の話を聞こう。

うちの会社のトップは、まだ30代の若社長です。数年前に先代が急死したため、当時20代だった御曹司が後を継いだのだそうです。

ただ、この社長、かなり難しい人です。そのことに気づいたのは、入社から数ヶ月経ってからのことですが、今思えば、最初の面接のときにも思い当たるふしがありました。社長は、約束の時間より1時間以上も遅れて来たのです。私はその間ずっと、応接室で待たされていました。憧れの広告業界に入れる最後のチャンスと思い、こちらもすがるような気持ちで応募しているので、文句なんて言えるわけがありません。

社長がどれだけ自己中心的な人なのか。それは社長室一つとってもわかります。

社長室は広くて、外の眺めも最高です。社長がいい部屋にいるのは当然のことかもしれませんが、いくら社長室でも広すぎるんじゃないか、というくらいの広さがあります。不思議な会社だな、と思っていたのですが、先輩に聞いたところ、この部屋はもともと会議室として使われていたのだそうです。それを若社長が自分専用にすると言い出して、社員に机や椅子を運ばせたのだとか……。ただでさえ忙しい時期に、先輩たちは慣れない力仕事をさせられて、かなり大変だったみたいです。

また、社長室には賞状やトロフィー、有名人とのツーショット写真が所狭しと飾られていて、社長は誇らしげに見せびらかします。「こんなに賞をもらったんだぞ」「俺は有名人と交流がある」などと、ことあるごとに自慢しています。

私も最初のうちは、「社長って、スゴイ人なんだ」と思っていましたが、ほどなくして、そうではないことを知りました。賞のほとんどは先代社長のときにとったもので、一緒に写真を撮った有名人も広告に起用した人ばかりだったのです。私的な交流があるわけではありません。

ここまでなら、適当に相づちを打って「スゴイですね」と感心するふりをするだけですむので、まだ我慢できます。ところが、社員への評価がころころと変わるので、この社長の下で仕事をしていると気の休まる間がありません。ある社員を持ち上げて、「誰よりも信頼している」と手放しでほめていたかと思うと、次の日にはボロクソにけなして、「この仕事、向いてないいんじゃないの」と皮肉っぽく笑ったり、他の社員が見ている前で激しく罵倒したりという具合なのです。

その結果、うちがどうなってしまったのかというと、社長の顔色をうかがう社員ばかりになってしまったのです。社長にもの言えるくらい、実力、実績のある人たちは次々に辞めてしまいました。社長のやり方をちょっと批判しただけで、翌日、「重大な職務違反があった」として解雇されたデザイナーもいます。先代の頃から会社を支えてきた社内一優秀なデザイナーでした。今はフリーで活躍されているそうで、その人にとっては良い人生を送るきっかけになったのかもしれませんが、会社にとっては大きな損失となりました。

優秀な社員ですら簡単に切られてしまうので、社長にはもう、誰も逆らえません。おまけに管理職のポストが空いたときに、新しくその座に就くのは、社長の学生時代の友人や趣味の仲間です。昔からいる人は、やっていられないでしょうね。

こんな社長ですから、たまには同僚同士で陰口でも言いたいところですが、それもできません。社長が密告を奨励しているからです。社員を一人ずつ社長室に呼んで、誰かが自分の悪口を言っていないか確かめることもあります。おかげでみんな疑心暗鬼になり、会社の雰囲気まで悪くなりそうです。

百歩譲って、こんな人でも経営手腕があれば良いのですが、残念ながら会社の業績はかなり落ち込んでいます。先代の頃からつき合いのあるお得意さんたちから、「社長が挨拶にも来ない」という理由で契約期間が終わると継続されないことがあるようです。

社長はお客さんにすら、頭を下げたくないのです。

税金をきちんと払わず、税務署から追徴課税されたこともあります。社長が悪いはずなのですが、「この世の中はやり手から税金をぼったくることしか考えていない」とピント外れのことを言って怒っていました。

先日、私たちが夜遅くまで残業していたところ、酔っ払った社長が突然会社に戻ってきました。セレブばかりが集まるというパーティーに出席した帰りに寄ったみたいで、「あの女優が来ていたよ、べっぴんさんだったなぁ」と自慢げに話していましたが、納期に間に合わせるために私たちが必死で働いていることには気づいてくれません。「差し入れだ」と言って有名ホテルのケーキを配っていましたが、甘いもの好きの私ですら、社長に投げ返してやろうかと思ったほどでした。

……………………………………………

この社長は「プライドが高くて迷惑な人」の典型である。彼の言葉や行動の端々から、「自分は価値の高い人間で、周囲から特別扱いを受けるのは当然」という特権意識がはっきりと見て取れる。

この特権意識は、ことあるごとに顔をのぞかせる。世の中の決まりというのは「普通の人々」のためにあるのであって、自分のような「特別な人々」のためにあるのではない。そんな勘違いをしているので、社員を突然解雇したり、税金をきちんと払わなかったりするのである。

強い特権意識を抱いたままだと、社会適応がうまくいかず、苦労ばかりすることになる。しかしこの社長の場合は、先代の御曹司という恵まれた立場だったこともあって、ずっと許されてきたのだろう。だからこそ、「プライドが高くて迷惑な人」になったのである。

こういうタイプの人間がトップにいると、当然会社はうまくいかない。業績が落ちているのも、社員が次々と辞めていくのも、根本的な原因が社長にあることは誰の目にも明らかなのに、この社長は自分が悪いなどとはつゆほども思っていない。それどころか他人のせいにして、叱責したり怒鳴りつけたりしている。自分のせいで周囲が疲れ果て、社員の心身に支障をきたすような事態になっても何とも思わないのだから、本当に困ったものである。

続いては、とある女性の告白を紹介しよう。プライドが高い女性上司のことで悩んでいるという。

事例2 自分よりできる部下に我慢がならない女性上司

「急募で採用された理由がわかりました」。相談にやってきた30代の女性が切り出した。彼女は、結婚を機に退職、生活が落ち着いたので、そろそろ仕事をしたいと思っていた。そんなときに見つけて入った会社でとんでもない目に遭っているという。

最初はみんなが良い人に思える会社で、久しぶりのお勤めで意欲もありましたし、早く慣れてバリバリ仕事をしたいと思っていました。

ところが、しばらくたつと優しかった上司の風当たりが強くなり、落ち込む日が続くようになりました。会社勤めははじめてではありませんので、よくあることというか、自分が不慣れなことや、至らなさのせいだと反省していました。

しかし、あることがきっかけで知ったのですが、彼女の下で働いていた人がこの一年で二人も短期間で辞めていったとのこと。だから空きが出て、人員募集をしたのだと聞いて深く納得しました。

その上司は、50歳くらいの女性。特別きれいというわけでもありません。

中学から大学まで、都内の超有名私立校の出身で、そのことだけが唯一の誇りのようです。それなのに、同級生が勤めているような華やかな企業ではなく、うちのような数人の会社では不満なんだろうと思います。

プライドが高いというか、むしろコンプレックスが強いのかもしれません。ランチタイムには在学中の話、つまり30年近く前の思い出や同級生たちの話をまるで昨日のことのように、しょっちゅうします。そう夫に話すと、そんな人いるのかと信じてもらえないのですが本当なんです。

同級生だった有名人の話とか、自分が当時いかに男性にちやほやされていたかとか、旦那様にお姫様のように扱われていたとか、どんなに裕福な家庭だったかとか。だいたい、いつも同じような内容です。登場する人物の名前も覚えました。

しかし、現実には彼女はその旦那様と離婚しているのです。それに、彼女が高校生の頃にご両親が離婚されていることを考えれば、いまは本人が言うほど裕福ではないかもしれません。

どんなにモテたかに至っては確かめようもありませんが、この狭い社内で不倫の噂《うわさ》もあります。辞めていった人は、いずれも信頼し合っている恋人がいたとか、在職中に幸せな結婚をしたとかで、それが癪《しやく》に障《さわ》るところもあるのではと勘ぐってしまいます。

ちなみに彼女の仕事ぶりは、正直、彼女自身がアピールしているほどではありません。間違いや失敗があるたびに他人のせいにしますし、部下が取引先の人にほめられるような活躍を見せると、喜ぶどころか逆に不機嫌になり、「それくらいやって当然よ」と冷たく言い放ちます。

どうも、自分より部下のほうができるなんてことはあってはならないと思い込んでいるらしく、自分の部下の能力が外部の人から認められることに耐えられないようです。そのせいで、こちらはカチンとくるわけですが。

部下の告げ口だって平気でします。たとえば、こっちが一切手伝ってもらっていない案件なのに、「本当は私が指導しないと何もできなかった。それなのに私にお礼の言葉もない」などといった真っ赤な嘘を、彼女の上司に告げるのです。その上司に呼び出され、注意されたときにはじめて、陰でそんなふうに報告されていたと知り、呆気《あっけ》にとられたこともあります。そんなことがたびたびあるのです。

注意されたのを見届けると彼女は満足するのか、急に優しくなって励ましてくるのですが、他人の不幸を喜んでいるようにしか見えません。「他人の不幸は蜜の味」というのは、この上司のためにあるような言葉だとつくづく思います。

最初は会社へ行くのが嫌だ、会社が悪い、と思っていましたが、実は問題なのはその中の一人で、その一人のために仕事を辞めるのはたしかに腹立たしいですね。話してそう気づいただけで少し楽になりました。

この女性上司が部下の活躍に我慢できないのは、常に自分のほうが優位に立っていないと気がすまないからである。しかも、自分よりできる部下に地位を脅かされるのではないか、場合によっては奪われてしまうのではないかという不安や恐怖も抱いている。

こうした虚栄心、不安、恐怖などに拍車をかけているのが、この上司の抱いているコンプレックスだろう。かつての同級生が勤めているようなブランド企業ではない小さな会社で働いている自分、もしかしたら部下よりも能力が劣っているように外からは見えているかもしれない自分、離婚して女の幸せをつかめなかった自分……このような現在の自分の姿にある種の欠落感を覚えているからこそ、都内の超有名私立校の出身であることをひけらかして、「過去の栄光」を誇示せずにはいられないのである。

もっとも、この上司の語る思い出話が全部真実かどうかは疑問である。どんなに裕福な家庭だったかとか、どんなにモテたかという話がまるきり作り話というわけではないだろうが、「〜だったらいいのに」という自分の願望を投影した空想と現実とをごちゃ混ぜにして話している可能性も考えられる。

これは、精神医学では「幻想的願望充足」と呼ばれており、現状に満たされぬ思いを抱いている人にしばしば認められる。「プライドが高くて迷惑な人」が過去の自分がどんなに輝いていたかを自慢したがることは少なくないが、裏返せば、それだけ現在の自分に欲求不満を抱いているということである。

「プライドが高くて迷惑な人」というのは、自分より上の立場の人間であるとは限らない。自分と同列の立場である同級生や同僚の中にも、そういう人はいるのだ。

次は、そんな友人をもつ男性の話である。

事例3 優秀で高学歴だがクレームばかりで図々しい友人

「何にでも文句をつける友人」と、少しくらいのことは我慢してきた自分。考え方に大きなギャップを感じていた30代の男性は、もはやこの友人と一緒にいることに

さえ、恥ずかしさを覚えている。

高校時代の同級生だったA君とは、卒業してからしばらく会っていませんでしたが、最近またつき合うようになりました。

A君は、大学院の博士課程まで出ています。でも、大学にポストがなかったとかで、実家に帰って論文を書きながら就職活動をすることにしたようです。

僕のほうは、地元の大学を出てから、派遣社員としていろいろな会社で働いてきましたが、結局正社員にはなれないまま実家で暮らしています。僕なんかは、ちゃんと就職して正社員になれと親からうるさく言われていますが、A君は親からそんなことを言われないのか、大学か研究所に入ることしか考えていないみたいです。

進学校だったこともあって、同級生の多くは正社員としてバリバリ働いているらしく、僕は引け目を感じていたので、実質無職のA君なら安心してつき合えるという気持ちがあったのかもしれません。

高校時代、A君は「スター」でした。勉強もスポーツもできたので、目立っていました。いつも自信満々で、嫌なことは嫌とはっきり言うタイプ。内気でおとなしい僕とは正反対の性格でしたが、だからこそ馬が合ったのかもしれません。

今でもA君は当時のままなのですが、単に厚かましいというか、図々しいだけなのではないかと感じることもあります。

たとえば、レストランで食事をしていても、パンが固い、料理が冷めている、水がなまぬるい、音楽が雰囲気にそぐわない、失礼な対応をした、メニューのカタカナ表記がおかしい、などとクレームをつけます。店員を呼びつけて叱りつけ、挙げ句の果てに「君なんかじゃわからない。上の人でないと」と怒り出すこともあります。

店長やマネージャークラスの幹部が謝罪すると、やっとおとなしくなります。しかも、「申し訳ないので、これ、どうぞ」と一品追加してもらってはじめて、「まあ、仕方ないか」と納得するという具合なのです。

こんなふうにA君が騒ぎ立てているときに横に座っていると、ちょっと恥ずかしくなります。僕のほうを向いて「こんなこと、許せない。そうだろ？　信じられないよな」

などと叫び、同意を求めるので、僕も同類のように思われてしまうのではないかとヒヤヒヤしています。

たいていの場合、A君はこうやって自分の欲しいものを手に入れているようなので、欲望を満たすには効果的なやり方ではあるのでしょうけれど……。

レストランでも、一番いい席に案内してもらえないと、必ず文句を言います。ホテルでも、いつも一番いい部屋に泊めてもらえるまで交渉すると自慢していました。

僕なんかは、「いちいち文句を言っても仕方ないし、そんなことに時間とエネルギーを使うのはもったいない」と自分に言い聞かせて、できるだけ波風を立てないようにしているので、交渉や要求なんて、考えたこともありません。

A君は、きちんと扱ってくれないなら文句を言うのが当然、という考え方のようです。一度、そんなふうに考えるのはなぜなのか尋ねたところ、「アメリカでは、それが当たり前」という答えが返ってきました。大学院時代に半年間ほどアメリカに留学していたことがあるらしく、そのこともA君のプライドの支えになっているみたいです。

勉強ができてちやほやされてきたうえ、アメリカにまで行って研究したのだから、そのへんの人とは違うと思い込んでいるようです。特別扱いしてもらえなかったら不満なのでしょうけど、「いつまでもそんな態度をとっていたら、就職も結婚もできないのでは？」と、他人事ながら心配してしまいます。

A君も典型的な「プライドが高くて迷惑な人」である。優秀で高学歴であるがゆえに、称賛されることに慣れっこになっており、特別扱いしてもらえないと耐えられないのだろう。

自分がこうありたいという自己愛的イメージ、つまり理想像と、「これだけでしかない現実の自分」とのギャップが大きいからこそ、「自分はこんなにスゴイんだ」と周囲に認めさせようと自慢したり、特別扱いを要求したりするのである。その点では、「やり手」と自認していた事例1の社長と共通している。

プライドが高くても実績が伴っていれば、少なくともここまで「迷惑な人」にはならなかったはずである。事例1の社長が本当に会社運営に長《た》けている「やり手」であれば、周囲からの批判をそれほど気にする必要はなく、社員が辞めていくことにもならなかっただろう。事例2の女性上司も、誰の目にも明らかなほど部下よりも自分のほうができるバリバリのキャリアウーマンだったら、部下の活躍が我慢できないという事態には陥らずにすんだのではないか。

このA君だって、大学にポストを見つけるなり、一流企業の研究所に入るなりして、自分の能力を認めてもらっていると実感できるような「居場所」があれば話は違ったかもしれない。レストランやホテルで特別扱いを要求して、ズタズタになったプライドを保とうとする必要もなかったはずである。

ここまでの事例3つは、プライドが高いために周囲を困らせる人たちであったが、自らのプライドの高さゆえに苦しんでいる人も少なくない。続いてはその典型例である。

事例4 「自分はできる人」と思い込んで、仕事も恋もうまくいかない女性

「気分が落ち込んで、何もする気がしない。会社にも行けません」
心療内科を受診したアラフォー女性。彼女は自分自身を「できる人」と評価しているが、仕事や恋愛は失敗続きであった。

子供の頃から、私はいつも注目されていました。自分で言うのもなんですが、いい子だったし、勉強もできたので、自信を持っていました。何よりも、「かわいいね」とほめられることがうれしくてたまりませんでした。

私はいつだって輪の中心にいて、取り巻きに囲まれていました。といっても私の友達は、見た目がパッとせず、自分に自信のない「さえない」女の子ばかりでしたけど。

いつしか、誰かにほめられることが当たり前だと思うようになっていました。これは、父のせいかもしれません。父は私を、「いい子だ」「かわいい子だ」とほめてくれましたし、私のわがままをほとんど聞いてくれました。

逆に母は、父のことを「甘やかしすぎ」と責めました。そういうこともあって、私と母はあまりいい関係ではありませんでした。女同士のライバル意識みたいなものもあったのかしら……。それに、母にはちょっと残酷なところがあって、甘えられなかったことを、ずっと恨みに思っています。

そんな両親のもとで育った私の人生は、就職してからもうまくいっていました。最初のうちだけですけど……。何を売るにしても、こっちが自信を持って売り込めば、向こうもその気になってくれるはずだと信じていました。実際、思い通りに契約が取れましたし、お金も稼げました。

この頃もまだ、私は自分が一番だと信じていました。ですから、会議でも自分の意見をバンバン言いました。先輩が話しているときでも、自分のアイデアのほうが優れていると思えば、さえぎって発言することもありました。

ただ、こういうやり方は、とくに同性の妬《ねた》みやライバル意識をかき立てていたかもしれません。あるとき、上司に呼ばれて、「仕事は一人だけでできるわけではない。会社ではチームを組んで働いているのだから、みんな大切な社員なんだ」みたいなことを言われたのです。

何となく責めるような口調だったので、とてもショックを受けました。誰かが告げ口したんじゃないかと思い、周囲を信用できなくなりました。その後、私がやりたかったプロジェクトからはずされたこともあって、その会社を辞めることにしました。

それ以降、いくつかの会社で働きました。どこに行っても個人成績は良いのですが、そのために周囲から妬まれたり、陰口を言われたりして、いづらくなって辞めるということの繰り返しです。

「できる」人間ほど、たたかれて能力を充分に発揮できない。これは日本の社会が悪いんじゃないかと思い、しばらくアメリカに語学留学しました。でも、せっかく英語を上手にしゃべれるようになって帰国したのに、自分の能力や留学経験を生かせるような職場は見つかりませんでした。仕方なく、今の会社に就職したのですが、私のいるべきところではないと思っています。

恋愛も、あまりうまくいきませんでした。男性に言い寄られることは多かったんですけど、どの人も、何となく物足りないというか……。私に釣り合うほど、ハンサムでもないし、お金持ちでもないし、頭がいいわけでもない、なんて思ってしまうんですよね。

男性とのつき合いが長続きしないのは、相手の配慮が足りないことに私が耐えられないからかもしれません。約束の時間にちょっとでも遅れて来るとか、出張で週末の予定をキャンセルするとか、そんなことがあると、私のことを大事にしてくれてないんじゃないかと思ってしまうんです。それで、ワーッとなって責めたり、会うのを拒否したり、わざと電話に出なかったり……。

少し前にも、結婚したいと思える男性がいたのですが、一緒に食事に行く予定だったのに、「緊急会議で行けなくなった」と電話で言われてから、着信拒否してしまいました。彼は何度も電話をして留守電に謝罪メッセージを残してくれたのですが、このくらいで許したら安く見られてしまうと思って、電話に一切出ないようにしたのです。

電話がかかってこなくなってからしばらくして、彼が結婚したという話を聞きました。相手は職場の後輩のようです。以前、私が彼と一緒に歩いていたときにその女性と偶然会って、紹介されたことがあります。正直あまりきれいな子ではなく、彼が「あの子、気立てはいいんだけどね」と言っていたような記憶があります。

本当は、彼を引き止めたかったのですが、遅すぎました。私が着信拒否し続けていても、彼はずっと待っていてくれるはずと心の中で期待していたのですが、今となっては、どうしようもありません。

・・

主治医である私も、彼女にはほとほと困っていた。診察の予約時間に大幅に遅刻したり、その日になって急に「診察を受けたい」と電話をしてきたりということがしょっちゅうあったのだ。とくに緊急性が高いわけでもないし、彼女は休職中なので忙しいわけでもない。それなのに主治医を振り回そうとするのは、自分に特別扱いが許されるか、試しているからだろう。

「私は他の患者さんとは違う。特別な患者。だから、他の患者さんだったら許されないことでも、私だったら許されるはず……」

そんな特権意識ゆえのふるまいを見せられるたびに私もむっとするが、「ここで自分の感情を丸出しにしたら医者としては失格だ」と自分に言い聞かせて我慢している。

彼女のようなタイプはしばしば周囲をいら立たせる。それがブーメランのように自分のところに戻ってきて、結局は自分自身も困る羽目になるのである。

彼女は、自分のプライドの高さがさまざまな弊害をもたらしていることに、薄々気づいてはいる。ただしそれが、自分に配慮が足りず、協調性がないせいだとは夢にも思っていない。

他人の気持ちに配慮することができないのは、自分は「できる」と思い込んでおり、「できる人」に対する周囲の「妬み」こそ災いのもとなのだというふうに受け止めているからである。もちろん、このような自己評価は私の目にはひとりよがりにすぎないように映るが、そんなことを指摘したら、彼女が怒り出すのは目に見えているので、自覚するのを待っている。

ただ、本当に自覚するようになるだろうかという危惧も抱いている。彼女はこれまで、自己中心的なやり方を改めないと仕事も恋愛もうまくいかないことを思い知らされてきたはずなのに、同じことを繰り返しているからである。

これは、彼女の心の奥底に「自分は他の人とは違う」「他の人が私に注目し、尊敬するのは当たり前」という特権意識が潜んでいるからにほかならない。このような特権意識が人一倍強いのは、父親に甘やかされて育ったという家庭環境によるところが大きいのではないだろうか。

プライドの高い上司の7パターン

ここまで4つの典型例を紹介してきた。事例1と事例2は自分より上の立場の人間が、事例3は自分と同列の立場の人間が、事例4は自分自身が、それぞれ「プライドが高くて迷惑な人」であった。もちろんこれらは一例にすぎず、実際には多種多様な「プライドが高くて迷惑な人」が存在する。そこで、4つの事例では拾いきれなかった、彼ら、彼女らのタイプをまとめてみることにしよう。

会社の上司であれば、主に次の7つのタイプが挙げられる。あなたの上司、またはあなた自身が、いずれかに当てはまっていないか、吟味しながら読んでいただきたい。

❶残業強制

部下が長時間働くのは当然だと思っている。あなたにも家族や友人がいるということ、悩みや病気を抱えているかもしれないことなど、全く考慮してくれない。上司自身が認められて出世したいがため、過酷な労働を期待するのだが、その割にあなたの頑張りに対しては、ほめ言葉もねぎらいの言葉もない。単なる会社の道具としかみなしていないからである。

❷気分屋

機嫌が悪いと、あなたをターゲットにして罵倒したり、笑い物にしたりする。しかも、他の社員の目の前で……。あなたのことを感情ある人間とはみなしておらず、自分の鬱憤《うっぷん》晴らしの対象としてしか認識していない。

❸手柄横取り

常に新しいアイデアやプロジェクトを提出させ、現実離れした要求をする。あなたがそれに応えられなければ、「役に立たない奴だ」とダメ社員の烙印《らくいん》を押す。あなたの発案したことが成功すれば、手柄は自分のもの。失敗すれば、あなたに責任を背負わせ非難する。

④称賛要求

無条件の称賛しか求めない。「私についてポジティブなことを言わないのなら、君は黙っていろ」というメッセージを暗黙のうちに送ってくる。批判なんてとんでもない。周囲が少しでも批判めいたことを口にすると、「誰にものを言っていると思ってるんだ」という調子で怒りをあらわにするので、そのうちみんな口をつぐんでしまう。

⑤ドタキャン

約束や会議を直前になってキャンセルしたり、時間を変更したりすることに、ためらいも良心のとがめもない。会議の日時をころころと変えることも、しょっちゅうである。部下にも取引先との大事な約束があるのに、そういったことを全く考慮しない。

❻遅刻・早退

部下の遅刻や早退は厳しく叱責するくせに、自分は堂々と遅れて来る。打ち合わせとか上層部の集まりなどと称して会社を早めに出て、そのまま帰ってしまうこともある。下っ端の社員には規則を守らせるが、自分は守らない。「自分は特別な人間だから、他の奴らとは違うんだ」と思い込んでいるからである。

❼メールで叱責

個人経営の商店や事務所のオーナーに多い。自分は職場にめったに顔を見せず、ほとんど丸投げにしているくせに、ことあるごとに干渉する。自分の思い通りにことが進まないと、怒鳴りつけたり、叱責のメールを次々と送りつけたりする。「あなたには経費がかかっているんです」などと赤字で書いたメールを送りつけるようなことも……。

このような上司の下で働いていると、あなたはそのうち、ストレスと欲求不満の塊《かたまり》のようになってしまうだろう。どんな上司も多かれ少なかれ権力を握っているので、批判などしようものなら、逆鱗《げきりん》に触れて職を失うようなことにもなりかねない。

だから誰も何も言わず、じっと我慢することになるのだが、それが事態をより一層悪化させるのも確かである。

プライドの高い同僚の7パターン

プライドの高い同僚は、プライドの高い上司に比べればまだましである。機嫌を損ねたからといって、職を失うのではないかと脅える必要はない。それでも、「困ったちゃん」であることには変わりなく、余計なストレスを受けるという意味では同じである。

❶ルール無視
他の社員がちょっとでも規則違反をすると非難するのに、自分は平気で規則を破る。「自分は特別だから規則が適用されない」と思い込んでいる。

❷自己評価が高い
自分の才能や業績を常にひけらかし、それがきちんと評価されていないと愚痴をこぼす。いかに自分が優れているかを言葉の端々ににじませ、他の誰かが自分より先に昇進するようなことがあれば、その人を誹謗《ひぼう》中傷する。

❸無断借用
あなたの机の上の文房具を無断で使ったり、備品を平気で持って帰ったりするくせに、自分の机の上に置いてある物に誰かがちょっとでも触ると、激怒する。

❹面倒なことを避ける

何か問題が起こると、自分は安全なところに逃げて、あなたが奮闘して解決するのをじっと待っている。厄介なことに巻き込まれて嫌な思いをするのは真っ平御免で、他の誰かがやってくれて当たり前と思っているからである。

❺他人には求めるくせに自分は与えない

「締め切りが迫っているのに全然仕事ができていない。助けて」と言ってあなたに手伝ってもらったことがあるのに、あなたが「残業を手伝って」と頼むと、「今日は先約があるから」などという理由で断る。やってもらって当たり前という意識が強く、「ギブ・アンド・テーク」という感覚がないせいである。

❻毒舌

あなたが望んでいることや感じていることには無関心で、グサリと傷つけるような言葉を平気で口にする。自分のプライドだけが大切で、他人の痛みへの共感が欠如しているからである。

❼干渉

あなたの私生活にまで土足で踏み込み、根掘り葉掘り聞いたり干渉したりするくせに、自分のことに関して尋ねられると、「どうしてあなたなんかに私のことを話さなければいけないの？」という素振りで拒否する。

こういうタイプの人たちとはあまり友人にはなりたくないものだが、同僚であれば避けるわけにはいかない。だからこそ、後の章で紹介するように、適切な接し方と対処法が重要になるのである。

プライドが高いのは悪いことなのか？

この章では、「プライドが高くて迷惑な人」の典型例を紹介してきたが、プライドがないというのも、それはそれで困りものである。プライドがあるがゆえに、それに見合うだけの実力をつけて、周囲から認められるようにと頑張れるのだから。

いわゆる「勝ち組」や「成功者」と呼ばれる人たちのインタビューを見ると、多くの場合、自分は「スゴイ」人間で、他の奴らとは違うんだというオーラを漂わせている。ほめ言葉もごく当然というふうに受け止めている印象を受ける。

もちろん、成功体験があるからこそ、こんなふうに自信を持てるのだし、特権意識を抱いていても許されるのだろう。また、若い頃から「自分は他人より優れているのだから必ず成功するはず」と確信して逆境にめげずに突き進んできたことが、成功をもたらしたようなところもあるのではないか。

最初のうちは、単に大言壮語しているだけだと思われていた人が、口先だけで終わらず、そのビッグマウスに匹敵するような努力を重ねて成功した事例は少なくないはずである。同じ能力であれば、謙虚な人よりも、自分が一番と信じて、他人より一歩でも前に出ようとする人のほうが勝つだろうから。

このような傾向は、営業の現場でよく見られる。事例4の女性が語っているように、「こっちが自信を持って売り込めば、向こうもその気になってくれる」といったことは実際にあるようだ。

ベテランの営業マンから聞いたところでは、セールスマンとして成功するのは、自分に自信があって、売り上げを伸ばすためなら誰でも利用し、拒否されてもめげずにセールストークを続けられるようなタイプらしい。

おそらく、自分が成功するためなら何をしても許されるという特権意識が、成功への野心とあいまって、他の人であれば尻込みするような困難な状況に対しても立ち向かう原動力になっていると考えられる。

もしかしたら、自分の欲望を一番大切にして、他人の気持ちや痛みなどに一切配慮せず、競争に勝つことしか考えていないという姿勢も、望むものを手に入れるための重要な要因なのかもしれない。自分が一番になって当然で、自分にはその権利があると思い込んでいれば、少なくとも、ためらいなく突き進むことはできるだろう。

なので、プライドが高いことがすべて悪だと主張するつもりは毛頭ない。一条ゆかりの漫画『プライド』の中に、プライドの塊のようなお嬢様が、「あなたプライドはないの？」と、貧乏な女の子に質問し、その女の子が「そんな役に立たないもの捨てました」と答える場面がある。

プライドを「役に立たないもの」として捨てられれば、今よりもっと楽になれるのかもしれないが、そうは問屋が卸さない。われわれは、多かれ少なかれプライドを抱えて生きていかなければならず、そう簡単に捨て去ってしまえるものではない。

そこでこの本では、プライドの効用を認めつつ、

「自分が最優先されて当然とか、自分の考えが常に正しいと思い込んでいる人は、どうしてそうなったのか」

「こういう人とは、どんなふうにつき合えばいいのだろうか」

「もし被害を受けたら、どう対処すればいいのだろうか」

こういった素朴な疑問から出発し、精神科医としての臨床経験や精神分析理論にもとづいて話を進めていくことにしたい。

また事例4の女性のように、自分のプライドがいったん傷つくと落ち込んでしまい、なかなか立ち直れなくなる人も少なくない。そうならないために、自分自身がどんな点に気をつければいいのかについても解説するつもりである。

第2章

どんな特徴があるのか

前章では、「プライドが高くて迷惑な人」の典型例を紹介した。どんな人のことをそう呼ぶのか、ある程度イメージをつかんでいただくことができたのではないだろうか。

本章では、いわば「困ったちゃん」である彼らにはどんな特徴があるのか、事例を添えながら紹介したい。そのうえで簡単な分析もしてみよう。

自分のやり方を押しつけようとする

前の章でも述べたように、プライドは生きていくうえで必要である。全然なかったら、むしろ困ったことになる。

とくに激しい競争をくぐり抜けなければならないプロスポーツの世界では、プライドを胸に秘め「自分が一番強いんだから、勝つのは自分」と自らに言い聞かせて戦わなければ、勝利はつかめないだろう。

また、先ほど紹介したように、成功した政治家や企業経営者が高いプライドの持ち主であることも多い。もちろん相応の実績があるからだろうが、元来のプライドの高さゆえにトップをめざして邁進《まいしん》したからこそ昇り詰められたというのも、一面の真理なのではないか。

「自分は他の奴らよりも優れているのだから高い地位を手に入れて当然」という信念が、へとへとになるまで権力闘争を繰り広げる原動力になったようにも見える。

ただ、プライドが高いと、どうしても下積みを嫌がるし、協調性に欠けるきらいもある。そのせいか、組織の中では、あつれきや摩擦を生じやすい。これは、自分がトップでないと我慢できないからかもしれない。

こういう人が周囲にいらだちや不快感を引き起こすのは、自慢したり称賛を求めたりすることにもよるだろうが、むしろ人を人とも思わない、ないがしろにするような言動のせいであることが多い。

他人の言葉に耳を傾けず、相手を尊重しない。やってもらって当たり前という態度を露骨に示し、感謝などしない。暴言を吐いたり、暴力を振るったりして、敵意や怒りをかき立てることさえある。

たとえば、不眠を訴えて心療内科を受診した30代の男性会社員の悩みの種は、最近親会社から出向してきた上司だった。この上司は高学歴で、アメリカの大学でＭＢＡを取得していることをひけらかし、やたらと横文字を使いたがる。おまけに、ことあるごとに親会社のやり方を持ち出して延々と説明し、「そんなやり方では、コンプライアンス違反で問題になるぞ」と叱責するらしい。

この会社で長年やってきたやり方をすべて否定して、自信満々で「ＭＢＡ仕込み」とかいう新手法を導入したのだが、社員は慣れるのに時間がかかり、取引先も戸惑ったようである。当然、業績も落ちた。

だが、自分が導入したやり方がうまく機能していないせいとは夢にも考えないようで、

「会社がやるべきイノベーションをやっていないから、ニュートレンドについていけないんだ」

「部下のクオリティーが低いから、アウトソーシングしたほうがよっぽどまし」

などと怒り出し、ほとんどの社員がやる気をなくしてしまった。一部の社員は、

「こんな小さな会社にＭＢＡのやり方を持ち込んでも、うまくいくわけがない」

「親会社で失敗したから、うちに飛ばされたくせに」

と、この上司の陰口をたたくものの、面と向かって「今のやり方では、あまりうまくいかないんじゃないですか」と言えるような社員はいない。少しでも批判めいたことを口にすれば、怒鳴られるのが目に見えているからである。

この上司がプライドのよりどころにしているのは、高学歴でMBAを取得していること、そして親会社から出向してきたことである。だが、いずれも「過去の栄光」であり、現在の勤務先である子会社では何の役にも立たず、むしろ邪魔にさえなっている。

そういう現実を受け入れられず、自分が正しいと信じ込んで自分のやり方を決して変えようとしないからこそ、さまざまな問題が起こる。しかも、そのことに全然気づいていないので、事態は悪化するばかりである。

それでも、この上司の眼中にあるのは自分のプライドを守ることだけであり、そのために二つの武器を用いている。

まず、自分のプライドの支えになっている高学歴、MBA、親会社をことさらひけらかす。会社の業績が落ちることによって傷つくプライドを守るには、「自分はこんなにスゴイんだ」と自慢できる何かを誇示するしかないのだ。その結果、社員の反発を買い、やる気を失わせ、さらに業績の低下を招いているが、こうした悪循環に陥っていることを否認し続けている。

他人のせいにする「他責」も一種の防衛である。会社や部下を責めることによって、自分に能力がないせいではない、自分のやり方が間違っているわけではないと、責任転嫁しようとしているのである。

現実から目をそむけようとする

この上司が「自分はこんなにスゴイんだ」と誇示したがるのは、幼児的な万能感を抱えたまま大人になっているからである。

万能感については第3章で詳しく述べるが、要は幼児のように、「自分はスゴイ。何でもできる」と思ってしまう感覚のことである。親会社ではある時期まで順調に出世したため、それが許されてきたのだろう。しかし結果が伴わなければ、高学歴やＭＢＡを持ち出したところで、誰も「スゴイ」とは思ってくれない。

しかも、このような成功体験があだになって、自分が導入したMBA仕込みのやり方でうまくいくと信じ込んでおり、現実に目を向けようとしない。これは、前章で紹介した「幻想的願望充足」のせいである。うまくいってほしいという願望と、実際にうまくいっているという現実とは別物のはずなのに、一緒くたにしているので、現実を直視することができないのである。

これでは当然うまくいかないので、否認や他責によってプライドを守ろうとする。それでも、プライドが傷つきそうになり不安でたまらなくなると、それを守るための「防具」である学歴やMBAなどを持ち出す。

「防具」を誇示することによって尊敬や称賛を得られれば、プライドは守られるが、世の中そんなに甘くはない。むしろ、周囲の敵意をかき立てたり、反感を買ったりすることになりやすいのだ。しかし彼らはそういう事態に直面しても、「自分の能力や経歴を羨ましがっているだけだ」というふうに受け止めがちで、自分のやり方を変えようとはしない。

「ポジティブシンキング」と言えば聞こえはいいが、要するに現実から目をそむけて自分のプライドを保とうとしているわけである。こういうタイプは、しばしば次のように思い込んでいる。

「私は他の誰よりも優れている。だから、誰もがそれを認めて、私に一目置くべき。なのにそうしないのは、馬鹿か、私を妬んでいるか、どちらか。もしかしたら、両方かもしれない」

「誰かが私を批判するのは、私を妬んでいるか、わかっていないか、どちらか」

「私の意見に異議を唱えるのは、間抜けか、悪意があるか、どちらか」

「誰かが私より成功しているのは、運が良かったか、ずるをしたか、どちらか」

「私は他の人よりも優れているのだから、配慮してもらい、特別扱いを受けて当然。決まりやルールも守る必要はない。そういうのは、『普通』の人のためのものであって、私は『特例』扱いしてもらうべき」

こんなふうに自分に言い聞かせるが、それでも自分のプライドを守りきれなくなると、他の誰かの価値を否定して切り抜けようとすることもある。他人をおとしめれば、相対的に自分の価値が高まると思い込んでいるからである。

実は打たれ弱い

プライドが高くても、並はずれた才能や美貌の持ち主であれば、周囲を魅了し、称賛を得ることが可能だろう。実際、大きな成功をおさめている芸能人やスポーツ選手には、こういうタイプが少なくないようである。たとえ、周りから辟易《へきえき》されることがあったとしても、「あれだけ才能があるんだから」「あれだけ実績をあげているんだから」「あれだけ美しいのだから」――「仕方ない」と、何となく納得させることができるのである。

ただ、問題は、周囲がやがて耐えられなくなるということである。輝かしい成果をあげ続けていれば、多少傲慢《ごうまん》であっても許容されるだろうが、その輝きを維持できなくなれば、周囲がそれまで我慢して押さえ込んでいた不満が噴出して、不協和音が鳴り響くことにもなりかねない。

自分に才能があるわけでも、自力で実績をあげているわけでもなく、創業者一族であるとか、大物に気に入られているというだけで権力を行使できる立場にある人物が、自分の地位をプライドのよりどころにして傲慢なふるまいをしているような場合は、一層困ったことになる。部下の心の中に敵意、怒り、恨みなどをかき立てて、反感を買い、意欲を低下させるからである。

そうなると必然的に業績の低迷を招くが、こういうタイプは自分のプライドを守るために、部下のせいにして叱責したり怒鳴ったりしがちなので、ますます周囲のやる気をなくさせる。こうして負の連鎖から抜け出せなくなってしまうのである。

そのせいだろうか、数多くの事例研究から、実はプライドの高い人ほど打たれ弱いことがわかっている。これは、二つの理由によるようである。

まず、野心家であるがゆえに目標が高く、自分は成功に値する人間だと信じ込んでいるので、自分が望んでいたような成果が得られないことに耐えられない。こうした理想と現実のギャップに直面して幻滅を味わうような人生の危機は、誰もが経験することである。だが、自分は「例外的」な人間だから、すべてうまくいって当然と思い込んでいるようなタイプほど、より大きなショックを受けることになる。

また、傲慢な言動のせいで、他の人と親密なあたたかい関係を築きにくいことも一因かもしれない。うまくいかないときにこそ、悩みを打ち明けたり、相談したりできる相手が家族や友人、同僚や上司の中にいると、大きな支えになる。

ところが、プライドが高いと、弱みなんか見せられないという心理が働きやすい。第一、日頃から他人を小馬鹿にして自慢ばかりしているような人間が危機的状況に陥っても、誰も助けてはくれないだろう。むしろ、「池に落ちた犬はたたけ」とばかり、周囲が一丸となって追い打ちをかけるようなことをするかもしれない。

野心家であることと、傲慢な言動が多いこと。この二つの理由から、プライドの高い人ほど、プライドが少しでも傷つくような事態に直面すると落ち込みやすい、つまり打たれ弱いということがいえる。自慢したり、称賛を求めたりするのは、実はそういう事態を何としても防ぐために、クジャクが羽を広げるようなことをしているだけなのかもしれない。

自分が落ち込んでうつになることを防ぐために、わざとはしゃいだり、「自分はこんなに成功しているんだ」とか「こんなに幸せなんだ」と誇示したりするのを精神医学では「マニック・ディフェンス（躁的防衛）」と呼ぶ。

そういう人ほど、実は「自分は本当に成功しているんだろうか？」「自分は本当に幸せなんだろうか？」などと不安と疑念にさいなまれているものである。プライドの高い人が自分の成功や幸福を誇示して自慢したがるのも、打たれ弱さを押し隠すためなのかもしれない。

自分自身を過大評価していて怒りっぽい

プライドが高い人に共通して認められるのは、「自分はこんなにスゴイんだ」という自分自身への過大評価である。この過大評価があると、「怒りは己に対する過大評価から生じる」と古代ローマの哲学者、セネカが述べているように、どうしても怒りっぽくなる。

たとえば、私の知り合いに、大学病院で講師にまでなったことをいまだに自慢したがる高齢の開業医がいる。大学を辞めてからもう何十年も経っているのに、「白い巨塔」で自分がどれほど権勢をふるっていたかとか、教授選に出ていたら勝っていたはずなのに、「圧力」がかかって出られなくなり、どんなに悔しかったかという類《たぐい》の話を延々とする。

あるとき医師会の会合で、その老先生がいつものように自慢話を始めたのだが、何かの拍子に、旧世代の抗生物質を患者さんに投与していることをしゃべってしまったらしい。そのため、若い医師から「そんな古くさい薬、耐性菌ができているから、効かないんじゃないですか」と指摘された。すると、老先生は「おまえみたいな若造に何がわかるか。わしは、感染症が猛威をふるっていた時代を知っとるんじゃ」と激怒したとか。

その抗生物質は、何十年か前であれば効力を発揮したかもしれないが、現在では耐性菌が出現しているので、ほとんど使用されていない代物である。それをいまだに処方し続けているのは、ある時点で、新しい医学知識の吸収が止まってしまったせいだろう。薬が効かなくなっているという現実を受け入れられず、「過去の栄光」にしがみついて現在の自分自身を過大評価しているからこそ、怒るのである。

ちなみに、この老先生の「過去の栄光」の根拠になっている大学病院での話も実は眉唾物なのではないかと評判である。本当に研究業績が「スゴイ」先生だったのなら教授になっていたはずで、教授選にさえ出られなかったのは、たいしたことなかったからじゃないか、と……。

もちろん、本人の自己評価と、他人から見た客観的評価が食い違い、ギャップが生じるのはよくあることだ。だが、自分自身を過大評価しており、しかもそれをプライドのよりどころにしているようなタイプは、このギャップをなかなか受け入れられない。そのせいで欲求不満や怒りを溜《た》め込みがちである。

とくに現在の自分自身に対する過大評価に確固たる根拠がないような場合は、より一層怒りっぽくなるようである。先ほど紹介した高学歴でＭＢＡを取得している上司にしても、この老先生にしても、よすがにしているのは「過去の栄光」である。現在、輝かしい業績を上げているわけではないので、当の本人も自慢話を繰り返しながらも、何となく「認めてもらってない」という不安や焦りを抱きやすいせいだろう。

部下の提案を常に否定する

先ほどの二人にはまだ「過去の栄光」があるが、それもなく、コネとかゴマスリとかだけで出世した人、つまり、その器ではないのに高い地位に就いている人が、手に入れたポジションゆえにプライドを振りかざすような場合は、さらに困ったことになる。

たとえば、ＩＴ関連企業に勤める30代の男性は、部下の意見を必ず否定する上司に閉口している。

「こちらが何か提案するたびに、『そんなやり方でうまくいくわけない』と即座に却下するくせに、数日後には『これでいくしかないだろ』と言って、あたかも自分が考え出したかのように前にこっちが出した案を提案するんです」

意図的にやっているのか、それとも本当に忘れているのか、さだかではない。もしかしたら、上司の頭の中では、部下の提案が数日のうちに自分自身で思いついたアイデアにすり替わっているのかもしれない。いずれにせよ、自分の提案を常に否定されるのは精神的にきついことである。この男性は「やる気がなくなった」と訴えて、心療内科を受診した。

こんなふうに部下の意見を必ず否定するのは、部下の提案をそのまま受け入れたら、部下のほうが優秀だと認めてしまうことになるのではないか、部下から見くびられてしまうのではないか、という不安が強いからだろう。プライドが高いからこそ、自分の優位性を誇示するためもあって常に部下の意見を否定するわけである。

もっとも、自分では良案を考えつくことができないので、部下の提案をさも自分の発案であるかのように示して、自分の手柄にしてしまうのである。

また、この上司は変革を嫌うらしい。部下が新しい仕事のアイデアやプロセスの変更案を提案しても、「よし、考えてみよう」と言うだけで、実行に移すことはまずない。このように環境が変わることを極度に嫌がるのも、環境をあえて変えて失敗してしまったら、自分のプライドが傷つくので、極力避けたいという心理が働くからだろう。

聞けばこの上司は、社長の遠縁に当たり、大学中退後アメリカに留学していたようで、帰国してから就職先がなくて困っていたときに、「英語が話せる」というだけの理由で雇ってもらったのだとか。「グローバル化」を推し進めたい社長の一存でそれなりの役職に就いてはいるものの、実務経験がほとんどないこともあって、業務を把握しておらず、きちんとした指導ができない。些末《さまつ》な指摘や揚げ足取りに終始するので、ほとんどの部下がやる気をなくしてしまっているのが現状だという。

どうも、実力や実績に見合わない地位に就いてしまったプレッシャーやストレスから、プライドが変な形で作用しているようである。もしかしたら、その立場にいなければ、害はない人だったのかもしれない。

17世紀のフランスの名門貴族、ラ・ロシュフコーが得意の毒舌で「われわれは、自分の実力以下の職に就けば大物に見える可能性があるが、分に過ぎた職に就くと、しばしば小物に見える」と言っているところを見ると、「分に過ぎた職」に就いており、実力はないのにプライドばかり高い人物というのは昔からいたようである。周囲の目には滑《こっ》稽《けい》に映ったからこそ、「小物に見える」と揶揄《やゆ》したのだろう。

自分への反論を許せない

滑稽なだけなら笑い話ですむが、この上司の場合、それだけではすまないようである。何にでも口出しするうえ、部下の反論を決して許さないからである。

最近は、部下の中でもとくにリーダーに対して厳しいらしい。一例を挙げると、上司から新しいプロジェクトの案を練り上げるように指示されたリーダーが、他の社員と相談してまとめて提案したところ、「ひどい。これでは社長を説得できない」と即座に却下された。

リーダーが「ご指示に従って、みんなで話し合ってまとめました。予算の範囲内におさまっていますし、みんなもこの案に満足しているのですが……」と反論しかけたところ、上司は「みんなとは誰だ。私が入ってないぞ。ここのトップは私なんだ。私が満足しなければ、上には通せない」と激高したそうである。

どうも、この上司は、リーダーがこの部署では実地経験が一番長くて、人望もあることを快く思ってないらしい。実質的にはリーダーがほとんどの業務を仕切っており、この上司がいなくてもこの部署は何となく回っているようで、だからこそ、この上司も安穏としていられるというのが現状のようだ。

だったら、リーダーに任せて、口出しなどしなければいいのに、この上司のプライドが首をもたげるのか、横から口をはさまないではいられない。自分の意見を入れずに部下だけで決めることを許せないのである。

この上司がこの部署で「トップ」というのは正論なので、部下のほうも反論のしようがない。というより、この上司が反論を許さないのはいつものことなので、部下のほうも慣れっこになっているようである。部下が反論しようとした際に、「いや、それは俺の感覚に合わない。感覚でものを言って申し訳ないけれど、やっぱり最後は感覚だから」という理由で譲らないこともあったらしい。

このように部下の反論を封じ込めようとするのは、それだけ部下の反論を恐れているからだ。とりわけリーダーに対して厳しいのは、自分の地位が脅かされるのではないかと怯えているせいで、「自分のほうが上なんだから、反論なんか許さない」というふうに優位性を誇示せずにはいられないためだろう。

実力も実績もないこの上司のプライドを支えているのは、この部署で「トップ」というポジションだけである。それをリーダーに奪われてしまうのではないかと不安にさいなまれているからこそ、自分にとって脅威となりうるリーダーに対してことさら厳しく当たるわけである。

もっとも、「トップ」だから責任をとるかというと、そんなことはなく、失敗した場合は常に部下のせいにする。そのための布石なのか、取引先でも、「うちの連中はホント使えねえよ。まともな仕事ができる奴が少ないから、もう忙しくて忙しくて仕方ないよ」と、相手が反応に困る話をしているようだ。

部下たちが「何がそんなに忙しいのか」と首を傾《かし》げるほど、この上司は社内での存在感が薄いらしい。コネ入社で出世して実績がないことに劣等感を抱いており、「いてもいなくてもいい存在」と周囲から思われているのではないかという不安が強いからこそ、何にでも口をはさんだり、部下の提案を否定したり、反論を封じ込めたりして、自分の存在価値を強調しようとするのである。

不平不満が多く愚痴っぽい

プライドが高いと、どうしても不平不満を並べ立て、愚痴っぽくなりやすい。先ほど指摘したように、自分自身を過大評価しており、「自分はこんな扱いを受けるような人間ではないはず」「もっと優遇されてしかるべき」「自分のほうがあいつより能力も実績もあるはず」などと思い込んでいることが多いからである。

こういう思い込みはあくまでも本人の独断であって、周囲からの評価とは無関係である。いや、むしろ、ほとんどの場合、主観的な評価と客観的な評価とのギャップが相当大きいようである。

たとえば、最近主任に昇進したばかりの30代の女性は、遅刻を繰り返す20代の女性社員に頭を悩ませていた。最初のうちは静観していたが、取引先にまで迷惑をかけるようになったので、ある日「家が遠いのはわかるけど、時間通りに出勤するのは会社の決まりだから、できるだけ努力してくださいね」と注意したのだそうだ。ところがその女性社員は反省するどころか、「なぜ私ばかり責めるんですか。他の人だって遅れて来てるじゃないですか！」と反発してきたのだという。

この20代の女性社員は、「私がときどき遅れるのは、私の責任ではありません。家が駅から遠くて、バスに乗らなければなりませんし、渋滞に巻き込まれることだってあるんです」「それに、MBAを取るために夜間大学院に通っているから、帰宅が遅くなるんです」「前の主任はそんなこと言わなかったのに」などと、まくし立てたとか。

「ときどき遅れる」というのは実情からかけ離れており、ほとんど毎日遅刻するらしい。そのせいで、取引先から問い合わせがあっても対応できないとか、取引先との面談をキャンセルするという支障が出ている。主任が見かねて忠告したのはそのためだが、当の本人には自分が深刻な問題を引き起こしているという自覚が乏しいようである。

「他の人だって遅れて来てる」というのも、本人の思い込みにすぎない。もちろん、遅刻する社員はいるが、それは前日取引先の接待で遅くなったとか、病院に行かなければならないとか、それなりの理由があるからで、ほとんどの場合きちんと会社に連絡している。

ところが、この女性社員は、最初の頃は「渋滞で……」「熱があって……」などと電話で遅刻の理由を説明していたものの、最近はほとんど毎日遅刻ということもあって、ばつが悪いのか、何の連絡もなく遅れて来る。ときには、昼過ぎに出勤することさえある。

周囲も「またか」という感じで、見て見ぬふりをしようとしているのだが、午前中に取引先との約束を入れていて、ドタキャンという事態を招いてしまったことが一度ならずあった。そういう場合は、他の社員が急遽《きゅうきょ》取引先まで行ったり、電話で謝罪したりしなければならないので、彼女に対する部内の不満が高まっている。

こうした雰囲気を察知できないのか、無視しているのか不明だが、いずれにせよ、この女性社員は意に介さないようだ。だからこそ、「前の主任はそんなこと言わなかったのに」と言い返したのだろう。もしかしたら、「自分は『特別』だから許してもらえるはず。そんなことを言われる筋合いはない」などと思い込んでいるのかもしれない。

当惑するばかりの主任は、前任者に彼女についてそれとなく尋ねてみた。すると、

「厳しく注意したら、『落ち込んで会社に行けなくなった』とかで、診断書を提出して1

ヶ月休んだ」という返事が返ってきた。おまけに、取引先の役員を務める女性社員の父親から電話があったと聞いて、前任者は「言わなかった」というよりは「言えなかった」というのが本当のところなんだろうなあ、と主任は妙に納得したらしい。

「落ち込んで会社に行けなくなった」という本人の訴えを信じるならば、精神医学的には「うつ」ということになる。それも、今はやりの「新型うつ」の可能性が高い。

「新型うつ」の患者さんは、プライドが高いことが多く、他人からちょっとでも注意されたり批判されたりすると、自分の人格を全否定されたように受け止めやすい。そのせいか、周囲からすれば、そんなにたいしたことではなさそうに見える出来事でも傷つき、落ち込んでしまいがちである。

このような打たれ弱さを精神医学では「拒絶過敏性」と呼ぶ。この女性社員の場合も「拒絶過敏性」が強いために、周囲が腫《は》れ物に触るような感じで接してきたのではないか。そういう事情を知らずに、新任の主任が注意して、地雷を踏んでしまったわけである。

この女性社員の高いプライドの根拠になっているのは、会社に入ったばかりの頃に営業成績がトップになったこと、そしてＭＢＡを取るために夜間大学院に通っていることである。入社直後に営業成績トップになれたのは、父親が重役を務めている取引先の会社が御祝儀で契約してくれたおかげである。しかし本人に、親の七光という自覚はあまりないようだ。現在の営業成績は低空飛行を続けているという。

大学院に通うからという理由で、週３日は残業せずに定時に退社することを認めてもらっているのも、父親の威光のおかげだろう。かなり配慮してもらっているのに、感謝するどころか、特別扱いを受けて当然と思い込んでいるふしがある。

そのせいで他の社員との間にあつれきが生じると、不平不満を並べ立てる。「私を理解してくれてない。私がどれだけ頑張っているか、わかってくれてない」「ＭＢＡを取ったら私のほうが出世するから、やっかんでいるだけなんじゃないの」などと同僚に愚痴をこぼしているそうだ。

そういう愚痴が回り回って主任の耳にまで入っているのは、周囲の反感や敵意をかき立てるような言動が日頃から目につくためだろう。こうした言動を繰り返すのは、自分はもっと高く評価されるべきだし、特別扱いしてもらって当然という思い込みのせいであることが多い。その結果、人間関係が一層ぎくしゃくして、孤立しがちである。いわば、自分で自分の首を絞めているわけである。

異性に多くを求めストーカー化しやすい

プライドの高さが男女関係に影を落とす場合もある。前の章で紹介したアラフォー女性が典型だが、プライドが高いと、どうしても相手に求める条件が厳しくなり、そのせいで恋愛も結婚もうまくいかないのである。

「あの人、美人なのに、どうして独身なんだろう」と周囲が首をかしげるような女性は、このタイプであることが多い。自分に釣り合う男性は容姿も学歴も収入もそれなりのレベルでなくてはと、選《え》り好みしているうちに婚期が遅れる。そうなると、プライドが高いだけに、「これだけ待ったんだから妥協なんかできない」という心理が働いて、ますます縁遠くなる。その結果、「高望みしているから結婚できないのでは？」などと陰口をたたかれるようになってしまうわけである。

男性との関係がうまくいかないのは、相手に「無条件の愛」を求めるからかもしれない。「自分はこんなにきれいなのに」「こんなに魅力的なのに」という自分自身への過大評価があると、特別扱いしてもらって当然と思い込みやすいので、相手が待ち合わせにちょっとでも遅れたり、約束を仕事の都合でキャンセルしたりしただけで、信頼できないとか、大切にしてもらっていないというふうに受け止めやすい。場合によっては、拒否されたというふうに感じて怒り出すこともある。

プライドが高いために、相手が自分以外の女性に目を向けることを決して許さず、独占欲を丸出しにして、相手を束縛するような場合も少なくない。たとえば真偽のほどはわからないが、ある議会でセクハラ野次を浴びせられたとかで騒動になった女性議員は、大企業の御曹司と交際していた頃、「彼が帰宅していないと関係者に手当たり次第に連絡し、居場所がわかると、接待中でも構わず乗り込んで文句を言い散らす」ような言動を繰り返していたらしいという報道を雑誌記事で読んだことがある。この御曹司と一緒に銀座のクラブに通っていた社長の証言によれば、商談や接待のために飲んでいたときも、彼女が単身乗り込んできて、接待がグチャグチャになったこともあるようだ。

これらの証言から浮かび上がってくるのは、「自分はこんなに美人で魅力的なのだから、相手は私のことを第一に考えてくれるべきなのに、クラブできれいなホステスさんに囲まれているなんて」と思うと居ても立ってもいられなくなる女性の姿である。

こういう嫉妬深い女性は、プライドが高く、強い自己愛の持ち主であることが多い。ラ・ロシュフコーがいみじくも指摘しているように、「嫉妬の中には、愛よりも自己愛のほうが多い」のだから、当然といえば当然である。

彼女は、「当選したら結婚して」と口にしていたようだが、結局破局したらしい。いくら惚《ほ》れていても、こんなふうに束縛され、おまけに仕事の邪魔までされたら、よほどのマゾヒストでない限り、嫌気がさす男性がほとんどなのではないか。

一方、男性の場合、プライドの高さが災いしてストーカーのようになってしまうことがあり、より深刻である。もちろん、女性のストーカーもいないわけではないのだが、体格や体力の面で劣るので、暴行や殺人のような事件にはなりにくい。

プライドが高いとストーカーになりやすいのは、いったいなぜなのか？

自分自身を過大評価しているせいで、交際を断られても目の前の現実を受け入れられず、「恥ずかしがっているだけ」「安く見られたくないから、気のないふりをしているだけ」というふうに歪曲して解釈するからである。

自分自身を過大評価していると、激しい怒りに駆られやすいのも一因だろう。男性であれば「こんなに優秀でかっこいい俺を振るなんて」、女性であれば「こんなにきれいで魅力的な私を拒否するなんて」という具合である。

見逃せないのは「こんなに〇〇」というのが、あくまでも本人の自己評価にすぎず、周囲からの評価とは必ずしも一致しない場合が少なくないことだ。こういう現実離れした思い込みは、自己愛のせいである。

ラ・ロシュフコーの毒舌通り、自己愛が「あらゆるおべっか使いのうち、最もしたたか者だ」からこそ、自分で自分が見えなくなるわけである。

自尊心を支えるのが幼児期のナルシシズムだけという悲劇

当然、「プライドが高くて迷惑な人」の問題は、自己愛を抜きにしては語れない。これは、フロイトが指摘しているように、自己愛が自尊心の重要な源泉になっているからである。

自尊心は、「経験によって強化された全能感」「対象リビドーの満足」「幼児期のナルシシズムの残滓《ざんし》」の三つから生まれると、フロイトは述べている（中山元編訳「ナルシシズム入門」『エロス論集』ちくま学芸文庫所収）。

「経験によって強化された全能感」は、自分がこうなりたいと願った理想像の実現によって得られる。勉強でも、スポーツでも、仕事でも、努力や経験を積み重ねた結果としての実績、成功体験によって獲得した「できる」という感覚、そして周囲から認められることで感じる満足が自尊心のもとになるわけである。

ところが、プライドが高く自分自身を過大評価している人ほど、地道な努力や雑用が苦手で、ちょっとしたことでつまずいて嫌になると「こんなこと、やってられない」と投げ出してしまいがちなので、「経験によって強化された全能感」を得るのが難しいようである。

この章で紹介した、社長の遠縁に当たるおかげで役職に就いている男性や、父親が取引先の役員であるおかげで契約を取れた女性のように、自分の能力や努力ではなくコネによって地位を手に入れたり実績を積み上げたりしている場合も、経験に裏打ちされた自尊心を持ちにくい。

自尊心には、「対象リビドーの満足」から生まれる部分もある。フロイトが指摘しているように、「相思相愛の仲になるか、愛する対象を所有することで、自尊心は再び高められる」からである。

誰かの愛を失うと、「自分は愛してもらえない」「自分には魅力がない」などと落胆して自尊心が低下するが、愛し愛される相思相愛の関係になると、自尊心を取り戻せるのは、われわれがしばしば経験することである。

先ほど述べたように、プライドが高く自分自身への過大評価があると、相手に求める条件が厳しくなりがちだし、「無条件の愛」を求めるあまり、ちょっとしたことで拒否されたように受け止めがちなので、安定した愛情関係を築くのが難しい。そのため、対象愛が満たされず、「自分は愛される価値のある人間だ」と実感することができないので、必然的に自尊心が低下する。

するとどうなるのか？

「経験によって強化された全能感」も「対象リビドーの満足」もない人間が自尊心を保つには「幼児期のナルシシズムの残滓」に頼るしかない。つまり、幼児期には持つことが許された「自分は何でもできるはず」「自分には無限の可能性があるはず」という自己愛的な万能感だけが自尊心を支えることになるのである。

経験や実績、あるいは対象愛によって裏打ちされているのが「健全」な自尊心だとすれば、自己愛的な万能感を支えにした自尊心は、他者の承認や愛情によって裏打ちされているわけではなく、自分自身の幻想的願望充足をよりどころにしているという点で、「不健全」である。「不健全」というのは辛らつすぎるとしても、自分の願望を投影した自己愛的イメージを現実の自分と錯覚して自分自身を過大評価しているという点で、幼児的なのは確かである。

要するに、「健全」な自尊心を持つことができず、大人になっても幼児的な万能感を引きずっているのが「プライドが高くて迷惑な人」の本質である。だからこそ、目の前の現実をなかなか受け入れられず、自己愛的イメージと現実のギャップに直面すると、すぐに傷ついて落ち込んでしまい、なかなか立ち直れない。このような自己愛の傷つきから身を守るために、他人のせいにして責めたり、不平不満を並べ立てたりする「困ったちゃん」になってしまうのである。

「プライドが高くて迷惑な人」の3つのタイプ

本章のまとめとして、「困ったちゃん」たちをタイプ別に分けてみよう。彼らは、次の3つのタイプに分類することができる。

1 自慢称賛型
2 特権意識型
3 操作支配型

もちろん、複数のタイプの特徴を兼ね備えている場合もあるが、どの要因が一番強いかによって、「あの人はこのタイプだ」と診断しておけば、対処しやすくなる。それぞれの特徴を大まかに紹介しておこう。

まず、「1　自慢称賛型」は、一番単純でわかりやすい。常に自分の優位性を誇示していなければ気がすまず、自慢ばかりして称賛や尊敬を求め、相手がそれに応じてくれないと機嫌が悪くなるタイプである。この章で紹介した、アメリカでＭＢＡを取得したという上司や、大学病院で講師にまでなったという高齢の開業医が典型である。

側で話を聞いていると辟易するが、そういう人なのだなと割り切って、適当に相づちを打ち、「スゴイですね」と感嘆するふりをしておけば、それほど実害はないので、一番対処しやすいかもしれない。

ただ、こういうタイプは、自分が常に一番でないと気がすまないので、自分より優れているように見える人間、たとえば美貌の持ち主であるとか、高学歴であるとか、金持ちであるという人間が周囲にいると、羨望、つまり他人の幸福が我慢できない怒りを抱きがちである。羨望が強いと、その対象をおとしいれるために誹謗中傷したり、策略をめぐらせたりすることがあるので、その点は注意が必要だろう。

「2　特権意識型」は、自分は「特別」な人間であるという特権意識が強く、特別扱いを要求し、それが受け入れられないと、怒り出したり、不平不満を並べ立てたりするタイプである。この章で紹介したＭＢＡを取るために夜間大学院に通っている女性社員が典型である。

こういうタイプの特権意識を変えるのは至難の業なので、波風を立てないようにしようと思えば、特別扱いするしかないが、そうすると他の人から不満が噴出するし、決まりやルールもあってなきがごとしになってしまうので、頭の痛いところである。

こういうタイプが特別扱いを要求するのは、そうすることによってしか自分のプライドを保てないからである。そのことを覚えておいたほうがいいだろう。

「3　操作支配型」は、他人を操作して影響力を及ぼし、その場を支配しなければ気がすまないタイプである。一番厄介で、実害もある。この章で紹介した、社長の遠縁に当たり、部下の意見を常に否定する上司が典型である。

部下の意見を却下するのも、反論を許さないのも、支配欲求が強く、自分の優位性を誇示し続けていないと不安になるからである。こういうタイプが上司だと非常にやりにくいので、対処するには一工夫必要になる。

それぞれのタイプとどんなふうに接し、被害を受けた際にどう対処すればいいのかについては、後の章で具体的に述べることにしたい。

第3章

なぜ、こういう人が生まれるのか

プライドが高く自己中心的で、他人の痛みに対する共感などみじんもなく、無自覚に人を傷つけてしまうような人間はどこにでもいる。彼らは生まれながらにして、そういう人間だったのだろうか。それとも周囲の環境が「困ったちゃん」を作り出しているのだろうか。本章では、このような人たちがなぜ生まれるのかについて、考えてみたい。

幼児的な万能感にとらわれたまま大人になってしまった

プライドの高い人間に限って、他人を自分の道具として利用することしか考えておらず、他人が自分のために時間や労力を費やすのも当然と思い込んでいることが多い。そのため、そんな人がもしあなたの周囲にいたら、エネルギーを吸い取られてしまうような気がして、げんなりするはずである。

おまけに、こういうタイプは、前の章でも指摘したように、不満たらたらだ。

「部下は上司を尊敬して、文句を言わずに働くべき。とくに、私のように能力も実績もある上司に逆らったり反論したりするなんて、もってのほか」

「学歴も資格もあるし、キャリアも積んでいる私にこんな仕事をやらせるなんて、信じられない。こういう仕事は下っ端にやらせるべきなのに」

「この会社では自分のやりたいことができない。上司は自分のやりたいことをもっと理解してくれるべきだし、同僚だってもっと助けてくれて当然なのに、そういうことが全然ない」

というふうに。

もちろん、各人にそれなりの言い分があるのだろうが、共通しているのは、目の前の現実に耐えられず欲求不満を募らせていることだ。これは、先に指摘したように、大人になっても幼児的な万能感を引きずっているからである。

万能感とは何か。最近よく耳にする言葉ではあるが、誤解している人も少なくないので、ここで簡単に説明しておこう。

万能感とは、文字通り自分は何でもできる、何でも許されるという感覚である。万能感が最も強いのは赤ん坊である。養育者である母親がすべての欲求を察知して満たしてくれるので、その腕に抱かれて母子一体感に浸りながら、自分の欲するものをすべて手に入れられるという感覚を味わえる。

もっとも、このような万能感に満たされた状態がずっと続くわけではない。お腹が空いているのにおっぱいを与えてもらえないこともあれば、おしっこやうんちで汚れて気持ち悪いのにおむつを替えてもらえないこともある。すると、乳児は泣き叫んだり、手足をバタバタさせたり、乳房を探し求めたりして自分の欲求を表現する。このような身振りによって自分の欲求が満たされると、改めて万能感を覚えるわけである。

もちろん、いくら泣き叫んでも、体を動かしても、自分の欲求をすぐには満たしてもらえないことだってある。そういう場合は、満足の得られた状況を思い浮かべることによって、幻覚的な満足を体験するしかない。これが、1〜2章でも取り上げた幻想的願望充足であり、空想の起源になる。

幻想的願望充足は、裏返せば、目の前の現実を否認することによって万能感を回復しようとする一種の防衛である。哀しいかな、それで実際にお腹一杯になるわけでもお尻の気持ち悪さが消えてなくなるわけでもないのだけれど。

こうした体験は、どんな子供にも多かれ少なかれあるだろう。ネグレクトを受けているような場合はもちろんだが、愛情深い母親からきめ細かく世話をしてもらっているような場合でも、自分の欲求が１００％即座に満たされるわけではないからである。

「現実原則」にもとづいて行動できず空想に逃げ込む

外部の世界が必ずしも自分に満足を与えてくれるわけではないという厳しい現実に否応なくさらされて欲求不満を覚えた子供は、いったいどうなるのか？　フロイトは次のように説明している。

「期待した満足がえられなくなって、つまり失望を味わってから、はじめてこの幻覚的な方法によって満足を求める試みが棄てられる結果になった。そのかわりに心の装置は、外界との現実の関係を考え、現実の変革につとめようと決意しなければならなくなった。こうして精神活動の新しい原則が導入された。もう、何が快いかを思わずに、たとい不快であるかもしれない場合にも、何が現実かを考えるようになった」（井村恒郎他訳「精神現象の二原則に関する定式」『フロイト著作集６』人文書院所収）

ここで導入される「新しい原則」こそ「現実原則」である。この「現実原則」をフロイトは、もっぱら快感を追い求める「快感原則」と対比させており、成長するにつれて「快感原則と現実原則との交代」が起こると述べている。

もっとも、この「交代」は、「快感原則の廃止を意味するのではなく、むしろその確保を意味する。一時的な、その結果の確かでない快感はすてられるが、それは、後にえられる確実な快感を新しい方法でものにするためである」（前掲「精神現象の二原則に関する定式」）。

たとえば、子供がお菓子をもらうために一時的におとなしくなったり、ゲーム機を買ってもらうために一生懸命勉強したりするのは、「後に得られる確実な快感」を期待して、「現実原則」に従った行動をしていると言える。中学生や高校生が受験勉強に励むのも、しばらくの間不快に耐えることによって、いい大学、いい会社、高収入といった快を得られると思えばこそだろう。

「現実原則」にもとづいた行動は、大人になればなるほど必要になる。自分の欲求を満たすのを先延ばしにする忍耐とか、現実を目的にかなうように変えるための努力をせざるを得なくなるのである。

ところが、幼児的な万能感を引きずったままだと、そういう回り道がなかなかできない。たとえば、第1章で紹介した事例1のセレブ気取りの若社長は、古くからのお得意さんたちから、「社長が挨拶にも来ない」という理由で契約を打ち切られている。業績を上げるという快のためには頭を下げるという不快に耐えなければならないはずなのに、それができないせいで、会社の業績が落ち込むことになる。

また、現実に背を向けて、幻想的願望充足に逃げ込むのもよくあることである。第1章で紹介した事例2の女性上司が典型だが、現在の生活に欲求不満を抱いているからこそ、「〜だったらいいのに」という願望を投影した空想と現実をごちゃ混ぜにしてしまうわけである。

「空想すること」について、フロイトは、

「第一に幸福な人間は決して空想しない。空想するのは不満な人間だけである。みたされなかった願望こそ空想を生みだす原動力であって、空想というものはどれもこれも、願望充足であり、人を満足させてくれない現実の修正を意味しているのである」

と述べている（高橋義孝他訳「詩人と空想すること」『フロイト著作集3』人文書院所収）。

これまで紹介してきた事例の多くが「過去の栄光」を自慢していたが、これは、「（自分を）満足させてくれない現実の修正」によってしか「願望充足」を得られないためと考えられる。裏返せば、それだけ現在の生活や周囲の自分自身への評価に対して不満を抱えていて、幸福ではないということになる。

当然、「満たされなかった願望」を投影した自己愛的イメージを現実の自分と錯覚して、自分自身を過大評価しがちである。その結果、前の章で述べたように、不平不満を並べ立てるとか、怒りっぽくなるという弊害が出てくるのである。

このように、万能感を引きずったまま大人になると、さまざまな弊害が出てくるのだが、ではなぜ、いつまでも幼児的な万能感にとらわれたまま、抜け出せないのだろうか？

親のナルシシズムにより「身の程を知る」システムが崩壊

幼児が万能感を抱いているのはよくあることで、誰もとがめない。無限の可能性を秘めた幼児が「宇宙飛行士になりたい」とか「サッカー選手になってワールドカップに出たい」と夢を語るのを、叱る親などいないだろう。

これは、愛情に満ちた両親が子供に対して示す態度を観察すればわかるように、子供への期待とは、「両親がすでに放棄した以前のナルシシズムを再生し、蘇生させたもの」にほかならないからである（82ページ「ナルシシズム入門」）。

わが子はすべての面で完璧だと考えたり、わが子の欠点を否認したりして過大評価しがちなのも、親自身が幼い頃に抱いていて、大人になるにつれて放棄せざるを得なかったナルシシズムを自分の子供に投影しているためだろう。

「子供には、自分のかなえられなかった夢を実現してほしい」とか、「自分は途中で挫《ざ》折《せつ》したけど、子供には成功してほしい」という願望を口にする親がいるが、このような願望は、とくに敗北感や不全感を抱えている親に強いように見受けられる。

その典型が、自分がなりたいと願いながらもなれなかったプロスポーツ選手や芸能人、音楽家などにわが子を育て上げるべく、幼い頃からスパルタ教育を施《ほどこ》そうとする親である。あるいは、自分が入りたくても入れなかった名門校にわが子を入学させるため叱咤《しった》激励して塾に通わせる親である。子供に代理戦争をさせることによって自己実現を図ろうとしているようにも、親自身の敗北感を逆転しようとしているようにも見える。

こういう親が子供にかける期待の根底にあるのは、フロイトが指摘しているように、「子供は宇宙の中心であり、核心であるべきである――つまり、かつて自分がそう思い込んでいたように『子供は王様』であるべきだ」という感覚である。

この感覚ゆえに、自分自身は遠い昔に放棄せざるを得なかった特権をわが子には認めてやろうとする親もいる。わが子の特権を守ろうとするあまり、学校に怒鳴り込んで教師を責め立てたり、辞めさせたりすることだってある。

どうも、親のナルシシズムが現実と直面して厳しく圧迫され、ぼろぼろに砕け散ってしまっていればいるほど、「それを子供に逃避することによって保証しようとする」傾向が強まるようだ。したがって、両親の子供への愛とは、「蘇生したナルシシズム」以外の何物でもない。それゆえにこそ、フロイトは「両親のナルシシズムは（子供への）対象愛に変身することで、子供の頃のナルシシズムの本質をあらわにするのである」と言い切ったのである。

　これはきわめて辛らつな分析だが、わが子の容姿や才能を過大評価して、過剰とも言える期待をかけ、自分の思い通りに子供が活躍できないとモンスターペアレント化する親を見ていると、親自身のナルシシズムに突き動かされているとつくづく思う。

　もちろん、この手の親は昔からいた。だからこそ、「親馬鹿」という言葉があったのだ。フロイトも、「子供は両親のかなえられなかった夢を実現すべきであり、父親の代わりに偉人や英雄になり、母親の満たされなかった夢を遅れて償うために、王子を夫として迎えるべきなのである」というふうに、親の願望を揶揄している。

　芥川龍之介も、『侏儒《しゅじゅ》の言葉』の中で、「古来如何に大勢の親はこういう言葉を繰り返したであろう。――『わたしは畢竟《ひっきょう》失敗者だった。しかしこの子だけは成功させなければならぬ。』」と述べているが、現在の日本社会では、このような悲痛な叫びを数多くの親が発しているのではないか。

　問題は、親のナルシシズムの投影である幼児的な万能感を引きずったまま成長する子供が最近増えていることである。幼児的な万能感を丸出しにすると、人間関係がぎすぎすして、本人も周囲も困るので、かつては、家庭、学校、社会の中で、自己愛的イメージを徐々に断念させて、現実の自分を受け入れさせる、つまり「身の程を知る」ようにさせるシステムが働いていた。

少なくとも、幼児的な万能感を丸出しにするのは恥ずかしいことだとか、自分の理想像と現実の自分とのギャップを他人のせいにして不満を並べ立てるのは「大人のふるまい」ではないといった感覚が共有されており、徐々に断念させる、いわばソフトランディングさせるような仕組みがあった。ところが、いまやそれが機能しなくなりつつある。

その結果、どうなったか?

歴史学者の会田雄次が『決断の条件』(新潮選書)の中で述べているように、「幼児性がいつまでも強く残り、『母』の乳房を求めつづけ、いい歳になってもそれが与えられないと、国、政治、会社、学校に対し、だだをこねる」人が増えたのである。

この「だだをこねる」人には、「プライドが高くて迷惑な人」と重なる部分がかなりある。何よりも、いつまでも強く残る「幼児性」が最大の共通点である。それでは、幼児的な万能感を徐々に断念させるようなソフトランディングの仕組みは、なぜ機能しなくなってしまったのだろうか。次項で分析してみることにしたい。

少子化と核家族化が「暴君」や「弱者」を増やす

まず、少子化で子供の数が減ったために、子育ての失敗が許されなくなってきたことが大きい。昔のように三、四人は当たり前、五人以上子供のいる家庭も珍しくなかった時代であれば、少々出来の悪い子供がいても、まあ仕方ないとあきらめもついた。「出来の悪い子ほどかわいい」ということわざもあったほどである。

ところが、最近は一人っ子が増え、多くても三人くらいの家庭がほとんどだ。少ない子供を大事に大事に育てる時代である。そのため、親の期待が分散しなくなり、出来の悪い子供を許容するだけのゆとりが親の側になくなった。

親の期待とは、先に指摘したように、親のナルシシズムの再生にほかならない。とくに、親自身が敗北感や不全感にさいなまれているような場合、夢や理想が粉々に砕け散ってしまったということもあって、より一層子供という自らの分身にナルシシズムを投影することになりやすい。

しかも、かつては、親から投影されたナルシシズムを子供が抱えていても、大家族の中で親以外のメンバーが修正したり歯止めをかけたりする機会があったが、核家族が大多数を占める現在の日本社会においては、そういう機会はほとんどなくなった。

そのため、子供は、親、とくに母親の価値観やナルシシズムの影響をもろに受ける。とりわけ「他者の欲望」を満たそうとして頑張る「いい子」ほどその呪縛から逃れられず、逃げ場がなくなるわけである。

芥川は『侏儒の言葉』の中で、「子供に対する母親の愛は最も利己心のない愛である。が、利己心のない愛は必しも子供の養育に最も適したものではない。この愛の子供に与える影響は――少くとも影響の大半は暴君にするか、弱者にするかである」とも言っている。

「最も利己心のない愛」であるはずの「子供に対する母親の愛」の影響が「暴君」とか「弱者」とかを生み出してしまうというのは、恐るべき指摘である。だが、フロイトも述べているように、親の子供への愛が本質的に「蘇生したナルシシズム」である以上、このような事態を招いてしまうことは避けがたいのかもしれない。

とくに現在の日本社会では、少子化と核家族化が進行しており、家庭内での父親の存在感も低下し続けている。そのため、子供はどうしても母親のまなざしを気にして、母親の欲望を満たそうとする。このような傾向は、親の期待に応えようとする「いい子」ほど強いようである。

「いい子」が幼児的な万能感を温存したまま大人になると、ちょっとつまずいただけで落ち込んでしまって、打たれ弱い「弱者」であることを露呈する。逆に、他者のまなざしを気にする必要がないような場面、たとえば相手が職場の下っ端とか飲食店の店員という場面では、特権意識を丸出しにして傲慢なふるまいをする「暴君」になってしまうこともある。こういうタイプが増えている現状を見ると、芥川の炯眼《けいがん》に感服せざるを得ないのである。

特別扱いを「許容」することで増える「だだっ子」

「暴君」にせよ、「弱者」にせよ、これまで紹介してきた事例を振り返ればわかるように、「プライドが高くて迷惑な人」にしばしば認められる側面である。子供が幼児的な万能感を引きずったまま成長していくと、こんなふうに「わや」になってしまうことは、昔から経験的にわかっていた。

そのため、子供を「わや」にしないために、一昔前であれば、「身の程知らず」を戒めて徐々に断念させるようなソフトランディングの仕組みが学校という場で機能していたものだが、現在は機能しているとは言いがたい。

いや、むしろ真逆の方向に向かっていると言うべきだろう。「やればできる」とか「誰にも無限の可能性がある」といった類の幻想を吹き込んでおり、幼児的な万能感をいつまでも温存させるように仕向けている。

あきらめずに努力を続けることの大切さを子供たちに教えるためにはこういうスロー

ガンも必要なのだと、百歩譲って認めることにしよう。だが、果たして、誰でも努力すればできるようになるのだろうか？　生まれつきの体格や才能に左右されやすいスポーツや芸術などと比べると、勉強には「やればできる」という幻想を抱きやすいのかもしれないが、持って生まれた頭脳は如何《いかん》ともしがたい。

こう言ってしまっては身も蓋もないかもしれないが、努力だって誰でもできるとは限らない。「努力できることが才能」という言葉もあるように、世の中には努力できない人もたくさんいるのだから。

こうして現実から目をそむけて、耳ざわりのいい嘘っぱちの幻想を教え込んだ結果、幼児的な万能感を引きずったままの大人が増えたのではないか。いわば「許容する」教育が、自分自身を過大評価して目の前の現実を受け入れられず、「だだをこねる」人を数多く生み出したように見える。

周囲の「許容」によって幼児的な万能感が温存されるのは、これまで紹介した事例を見れば、明らかである。御曹司にせよ、ＭＢＡ取得者にせよ、偉い先生にせよ、特別扱いを要求しても周囲に「許容」される「王様」でいられた経験があったからこそ、自分の能力を過大評価することになったのだろう。だからこそ、特権意識や支配欲求が満たされないと「だだをこねる」わけである。

高学歴、美貌、コネなどのおかげで、ある時期まで幼児的な万能感を丸出しにしても「許容」される経験をしたために、大丈夫なのだと勘違いしているような人も結構いる。このような事例を数多く見ていると、「許容」する優しさはたしかに必要ではあるけれど、それだけでは不十分だとつくづく思う。

よほどの天才は別として、成功したい、うまくやりたいと望むのであれば、勘違いを戒めたり叱ったりしてくれるような家族や友人、同僚や上司などの助言に耳を傾けるべきだろう。もっとも、「自分をあざむく賛辞よりも自分のためになる非難を喜ぶほど賢明な人は、めったにいない」とラ・ロシュフコーがいみじくも言っているように、「良薬は口に苦し」なのだとわかっていても、自己愛が傷つくような苦言はなかなか受け入れられない。

とくに、プライドが高く、自分自身を過大評価している人ほど、「なぜ、そんなこと言われなきゃいけないのか」とか「あんなレベルの低い奴に説教される覚えはない」というふうに反発しがちである。そのため、勘違いがなかなか直らず、「困ったちゃん」になりやすいのである。

勘違いに拍車をかける消費社会

このような勘違いに拍車をかけているのが消費社会である。消費社会では、大衆の欲望を満たすべく、さまざまな商品が次々に提供される。消費者の欲望を察知して商品を開発しなければ、会社がつぶれてしまうので、これは当然といえば当然である。

古代ギリシャの哲学者、プラトンの名著『饗宴』の中で、ソクラテスが「自分が持っていないもの、自分がそうではないもの、自分に欠けているもの、それこそが欲望と愛の対象になる」と語っているように、欲望の対象になるのは、「自分が持っていないもの」とか「自分に欠けているもの」である。したがって、大衆の欠乏感や欲求不満につけ込むことこそ、マーケティング成功の秘訣である。

その典型が「コンプレックス商法」だろう。肌や毛髪など、本人が他の人と比べて劣っているように感じている部分に関するコンプレックスを刺激して、高額商品を購入させようとする。

スゴイ効能をうたった高級化粧品や発毛剤なんかが、詐欺商法ではないかと批判を受けながらも売れ続けているのは、「こうなりたい」という願望を投影した自己愛的イメージと現実の自分とのギャップを埋め合わせてくれるはずだと、消費者に思い込ませることに成功しているためだ。このギャップを日々痛感しながら劣等感や不全感にさいなまれていて、何とか手っ取り早い手段で補完したいと切望しているような消費者ほど、こういう商品に飛びつく。

これは、自己愛的イメージと現実の自分とのギャップをあきらめきれないからだが、このギャップを何とかして埋め合わせようとして医療に頼る方も増えている。最近では、「医療消費者」という用語が登場しているほどである。

たとえば、かつては、男性はある年齢以上になれば女性との性交をあきらめざるを得なかったものだが、現在では「ＥＤ」という診断のもとにバイアグラが投与される。バイアグラの登場が中高年男性の幻想をかき立てたのか、週刊誌はこぞって「死ぬまでセックス」の特集をやっている。

また、以前は、持って生まれた容貌はどうしようもないものとして受け入れざるを得ず、親からもらった大事な身体に、病気でもないのにメスを入れるなんてとんでもないと考える方が大半だったが、医療技術が進歩するにつれて、美容整形手術を受けて美しくなろうとする方が増えた。極端な場合には、取り憑《つ》かれたように整形手術を繰り返す「美容整形依存症」に陥ってしまうことさえある。

「心」だって、薬で何とかしようとする時代である。脳内のセロトニンを増やして憂うつな気分を晴らすのが売りの新型の抗うつ薬、ＳＳＲＩの登場以降、自己愛的イメージと現実の自分とのギャップに直面して落ち込んだ気持ちを何とかしたいと、われわれ精神科医のもとを訪れる患者さんが増え続けている。

もちろん、それなりの効能はあるのだが、ＳＳＲＩが「ハッピードラッグ」と呼ばれるほど大ヒットしたのは、巧妙な宣伝やイメージ戦略が大衆の不全感や渇望にうまく働きかけたからでもある。

このように自己愛的イメージと現実の自分とのギャップを埋め合わせてくれると大衆

に思い込ませるような商品や技術が開発されており、しかもそれが盛んに宣伝される消費社会では、「なりたい自分」に簡単になれるというふうに感じるのは当然だろう。それが勘違いに拍車をかけているのである。

就職浪人たちの「もっとできるはず」という思い込み

欲求不満をもたらす目の前の現実から目をそむけて、勘違いしたままでいようとする人もいる。勘違いしていることに自分では気づいていないからだろうが、何よりもそのほうが心地いいからである。

こういう人ほど、予期せぬ出来事や障害物にぶつかると、そういう現実と向き合おうとせず、「本当はもっとできるはず」「自分はもっとスゴイはず」という幻想にしがみつこうとする。

こうした傾向が如実に表れていると感じたのが、「不本意内定より留年……『卒業せず』2年ぶり10万人超」という読売新聞の記事である（2014年7月20日付）。同新聞の「大学の実力」調査によれば、卒業学年で留年した学生が、２０１４年春には10万人を超えて６人に１人に上ったのだとか。

数年前にも就職留年生が多かった時期はあるのだが、その頃は就職状況が本当に悪かったため、内定がもらえなくて留年せざるを得なかった学生が大半だったようである。今回は、事情が少々異なるようで、不本意な内定を断り、あえて留年して「納得できる道」を目指す学生が目立ってきているらしい。

景気が上向いてきていることもあって、就職環境の好転を期待できるからか、たとえ内定を取っていても、「来年なら、もっといいところに就職できるのではないか」と見込んで、このような選択をするのだろう。

第一志望ではない会社に入って、いやいや仕事をするよりも、「納得できる道」を模索したいという学生の心情はよくわかる。不本意ながら就職したところが万一ブラック企業だったりしたら、目も当てられない。

もっとも、こうした選択にはリスクが伴うことも忘れてはならない。大学入試浪人の場合は、浪人中に自分の学力を高めて偏差値の高い大学に入学できれば、自分の価値を高めることができる。それによって周囲からの評価も上がるし、就活にも有利になるだろう。

だが、就職留年の場合は、留年中に自分の価値を底上げできる可能性はそれほど高くない。日本の大学で、留年中に頑張って勉強したとか資格を取得したとかで、企業側からの評価がぐんと上がるかというと、はなはだ疑問である。むしろ、前年にその会社で不採用になったとか、1年留年しているという事実をマイナスにとらえるような採用担当者だっているかもしれない。

それでも、留年することを選ぶのは、ひとえに就職環境の好転を期待してのことだろう。期待通りにことが運べばいいが、そうはいかない可能性もある。大企業の採用数が思ったほど増えないかもしれないし、外国で紛争が勃発したり経済ショックが起こったりして、かえって悪化するかもしれない。

まあ、何にでもリスクはつきものであり、リスクゼロということはありえないので、リスクを引き受ける覚悟でこのような選択をしたのであれば、うまくいくように祈るばかりだ。ただ、私が驚いたのは、6人に1人という割合、10万人以上という数の多さである。こんなにも多くの学生が、自分が内定をもらった企業に満足できず、内定を断っているという事実に驚愕したのである。

これは、自分がその企業からしか内定をもらえなかったという現実を受け入れられないからだろう。うがった見方をすれば、「自分はもっといい会社に入れるはず」「自分はこんなもんじゃないはず」という思い込みがあるからこその選択であり、その根底には自分自身への過大評価が潜んでいるのではないか。

しかも、自分が入りたい会社＝自己愛的イメージと、内定を取れた会社＝現実の自分とのギャップを、自分自身の価値を高めることによってではなく、就職環境の好転という外部要因で埋め合わせようとしているとしたら、その点では、商品や技術に頼って自分を底上げしようとする消費者と共通している。

これだけ多くの大学生が就職留年を選択しているのであれば、1年待ったとしても、「納得できる会社」から内定をもらえない可能性だってありそうだが、そうなったら、いったい彼らはどうするのだろうか？　内定を取れた会社に不本意ながらも入るのか？　それとも、もう1年待つのか？

「昨年内定をもらった会社に素直に就職していたら」「就職浪人なんかしていなければ」などと後悔するような事態にならなければいいけれど……と、他人事ながら心配になる。勝負事と同じで、人生の重要な決断に「たら」「れば」はないのだから。

もしかしたら、不本意ながら入った会社では、「自分は本当はもっといい会社に入れたはず」「自分はこんなところにいる人間じゃない」などと不満たらたらで、目の前の仕事がおろそかになるかもしれない。そのために実績をあげられなかったり、失敗したりすると、他人のせいにして責めるようなことにだってなりかねない。そうなれば、まさしく「プライドが高くて迷惑な人」予備軍である。

最近、『置かれた場所で咲きなさい』（渡辺和子著・幻冬舎）がベストセラーになったが、この本が売れたのは、「置かれた場所で」とりあえず現状を受け入れて地道な努力を積み重ねることができない人が多いからではないか。自分自身を過大評価するあまり、目の前の現実が見えなくなって、合理的な判断ができない人が増えていることの裏返しのようにも見えるのである。

完璧主義ゆえの「オール・オア・ナッシング」

大人になっても幼児的な万能感を引きずっている人が目の前の現実をなかなか受け入れられないのは、やりたいことができるという思い込み、もしくはやりたいことをやっても許されるという勘違いのせいであることが多い。

自分のやりたいこととできることが完全に一致しているのは、よほど才能があって努力も積み重ねているか、かなり恵まれた境遇にある場合に限られる。ほとんどの人は、願望と現実のギャップに悩まされるものだ。

それでも、思い通りにならない現実と何とか折り合いをつけつつ、やっていくしかない。不測の事態に遭遇したり、障害物にぶつかったりしながら、変えられる点は変え、変えられない点は受け入れるのが「現実適応」というものであり、ときには、理想や夢を捨て去らなければならないことだってある。

ところが、プライドの高い人ほど、こういう妥協が苦手である。他の誰かが妥協して現実を受け入れようとすると、軽蔑することさえある。これは完璧主義のせいであることが多い。１００点満点でなければ気がすまず、60点とか80点とかでは満足できないからである。

こうした完璧主義は、学校ではテストで１００点を取らなければならない、職場では同期のトップを走っていなければならないという意識として表れやすい。それなりに才能もあり、努力も精一杯するので、ある時期まではうまくいくことが多いのだが、なまじ成功体験があるだけに、ますますプライドが高くなる。

そのままずっと突っ走ることができれば、それに越したことはない。しかし、そうは問屋が卸さない。成績が落ちたり、出世競争で誰かに先を越されたりして、いったん挫折すると、不登校や出社拒否に陥りやすい。要するに、ゼロか１００か、オール・オア・ナッシング（全てか無か）で、中間がないために打たれ弱いのである。

このような傾向は、恋愛や結婚にも表れやすい。最初は惚れ込み、つまり相手に対する過大評価があって、アラが見えないのだが、やがて完璧なパートナーを求めるあまり、相手が１００点満点ではないことに気づいて、幻滅してしまう。そのせいで、「あんなに素晴らしい人はいない」と理想化していた相手を突然こきおろすようになることもあれば、「反復強迫」のように別離や離婚を繰り返すこともある。

これは、自分自身への過大評価ゆえに、100点満点の愛情、つまり「無条件の愛」を相手に求めることによる。「無条件の愛」を求めるというと何となくかっこいいが、平たくいえば自分だけを見て自分だけに愛情を注いでほしいという欲望である。

こういう欲望は嫉妬という形で表れやすい。相手が他の異性と電話で話したりメールの送受信をしたりしただけで許せず、激怒して携帯をへし折ってしまい、相手を辟易させるような場合もある。

「無条件の愛」を求めるあまり、相手を必要以上に束縛する人を見ていると、ラ・ロシュフコーの「嫉妬の中には、愛よりも自己愛のほうが多い」という毒舌を思い出す。自己愛が強いせいで、自分のことしか考えられず、相手にも大切な人間関係があるとか、それなりの事情があるということに配慮するだけの余裕がない。そのため、「私のことだけを考えて」「もっと大事にして」などと要求して、感情的に負担をかけてしまう。

自分を誰よりも何よりも優先してくれるような理想的な相手が自分を好きになってく

れて、しかもその関係がずっと続けばいいが、現実には望み薄である。だが、プライドが高いと、完璧な人間もいないし、100点満点の愛情もないという現実を受け入れることができない。つまり妥協できず、要求水準をなかなか下げられない。その結果、破局することも少なくないが、そうなると落ち込んでしまって、なかなか立ち直れず、打たれ弱さを露呈することになるのである。

諸刃の剣となる「孤立」

プライドが高く、やりたいことをやっても許されるというふうに勘違いしている人は、職場では協調性がないと非難されがちである。「厄介な仕事、うんざりするような仕事は拒否するか、他人に押しつける」「楽しい仕事、成果がすぐに出るような仕事しかやりたがらない」「決められた時間を守らず、自分のやりたいようにしかやらない」という具合に。もっとも、本人は気づいてないのか、意に介さないのか、態度を改めようとはしない。

協調性がないのは、自分は特別という特権意識のせいかもしれない。特権意識が強いと、見下した態度を示したり暴言を吐いたりして、他人を傷つけることも多いが、その自覚も罪悪感もない。罪悪感なんて、弱虫や下っ端の専有物であり、自分とは無縁だと思い込んでいるようなことさえある。

また、このような勘違いがあると、うまくいかないことが起こるたびに、他人とか環境、つまり外部要因のせいにしがちである。これは、自分の責任ではないことを強調して自己防衛するためだが、その根底には、「自分はできるはず」という幼児的な万能感を保てなくなることへの不安と恐怖が潜んでいる。

当然、こういう人は職場で孤立する。社内に気軽に話せる人がいなくなるが、これは社外でも同様で、もともと友達が少ないようである。特権意識が強いために、自分は選ばれた特別な人々とのみつき合うべきと思い込んでいることにもよるが、何よりも、ちょっとでも批判したり忠告したりするような友達を遠ざけて、お世辞たらたらで自分を持ち上げてくれるような友達ばかり周囲に集めたがることが大きいだろう。

本人は、「○○と仲いいから」「○○とは俺、お前の仲だから」などと吹聴しているも

の の、その人物と実際に話している場面に遭遇すると、明らかに慇懃無礼《いんぎんぶれい》な態度であり、腹を割って話しているようには到底見えない。むしろ、「こんな上の人とつき合えるほど自分は偉いんだ」と誇示するために、その人物を引き合いに出しているのではないかと勘ぐってしまう。

もちろん、お互いに尊敬し合う信頼関係で結ばれているわけではなく、ただ利得や楽しみをもたらしてくれることを期待してつき合っている可能性が高い。なので、どちらかが挫折して落ち込んだとしても、お互いに支え合ったり助け合ったりするわけではないだろう。

こうした孤立は、天才的な科学者や芸術家、あるいはトップアスリートであれば、多かれ少なかれ経験するものである。これはプライドの高さと完璧主義のせいだが、同時に、この二つの要因のおかげで素晴らしい発見や作品を生み出し、輝かしい成績を残すことができるのも事実である。だからこそ、彼らは、やりたいことをやっても許されるのである。

もっとも、実績を残せないと、徹底的にたたかれる。２０１４年に開催されたサッカーワールドカップのブラジル大会の直前に、日本代表チームの本田圭佑選手が「孤立している。あえてね」と発言して、話題になった。チーム内で孤立していても、良い成績を残すことができていれば「許容」されたのだろうが、惨敗したために、敗戦のA級戦犯としてバッシングされたことは記憶に新しい。

本田選手も、プライドが相当高そうだが、実績が伴わないと、「プライドが高くて迷惑な人」になりかねない。自分の実力を実際以上に誇示する「ビッグマウス」が今後の選手生活に悪影響を及ぼす可能性だってある。

こういう例を見ていると、プライドの高さも完璧主義も諸刃の剣だということがわかる。孤立を選択するのは本人の自由だが、自分がやりたいことをやっても許される状況にいるのかどうかを冷静に見きわめる目を養っておかなければ、自分自身が損するということは、肝に銘じておかなければならない。

誰だって「プライドが高くて迷惑な人」になりうる

いまや、誰だって「プライドが高くて迷惑な人」になりうる時代である。もともと、ラ・ロシュフコーが言っているように「傲慢はすべての人間の心の中では一様なのであって、ただそれを外に表す手段と趣に相違があるにすぎない」うえに、傲慢の根底に潜む幼児的な万能感を「許容」する方向に家庭も学校も向かっているので、当然といえば当然である。

しかも、先に指摘したように、幼児的な万能感を引きずっていても「許容」されるのだという幻想に消費社会が拍車をかけているのだから、「プライドが高くて迷惑な人」にならずにいられるほうが不思議な時代かもしれない。

ただ、「プライドが高くて迷惑な人」は周囲を辟易させるだけでなく、自分自身も打たれ弱く、一度つまずくと支えたり助けたりしてくれる友達がいないこともあって、なかなか立ち直れない。

なので、「プライドが高くて迷惑な人」予備軍の傲慢な要素が自分の中にないかどうか、常にチェックしておくことが必要だろう。そのうえで、そういう要素が自分の中にあることに気づいたら、できるだけ改めるべきである。そういう柔軟さを持ち合わせていること自体が、「プライドが高くて迷惑な人」にならないための処方箋の一つでもあるのだから。

「プライドが高くて迷惑な人」にならないために気をつけるべき、その他の心がけについては、最終章で具体的に述べることにしたい。

第4章

どんなふうに
つき合えばいいのか

「プライドが高くて迷惑な人」とのつき合いは、なかなか難しい。とくに、向こうが上の立場だったり、強い影響力を持っていたりすると、対応次第では大変なことになりかねない。

そこでこの章では、そういった人たちとどんなふうにつき合えばいいのかを具体的に説明することにしたい。いずれも、実害を受けないための事前予防策である。

とりあえず、ほめる

すでに述べてきたように、「プライドが高くて迷惑な人」は、自分には他人から称賛されるだけの価値があると勘違いしているふしがある。こういう勘違いにはカチンとくるだろうし、自慢話に一言口をはさみたくもなるだろうが、そこはぐっとこらえてほしい。実害をこうむりたくなければ、向こうが自慢したくてうずうずしているような場合には、迷わずほめるべきである。勘違いを真正面から正そうとしても時間とエネルギーのムダなのだから、徒労に帰すようなことはやめておくのが賢明だろう。

ほめるポイントは何でもいい。新しい洋服でも、髪型でも、ゴルフの腕前でも、新規の契約を取ってきたことでも、子供が名門校に入ったことでも、物事の大小にかかわらずとにかくほめることだ。

面倒なことには違いないが、ほめれば、それ相応のさまざまなメリットがある。まず、向こうはあなたのことを「見る目がある」と見直すだろう。また、あなたには「認められている」と勘違いして、少なくともあなたの前では、自分の能力や実績をひけらかすことも、「誰にものを言っているると思ってるんだ!」などと怒り出すこともなくなるだろう。「ほめる」というたったそれだけで、これまでの煩《わずら》わしさから解放されるのである。さらに、これまで無視し続けてきたあなたの言葉にも、少しは耳を傾けるようになるかもしれない。

ただ、それなりに根拠のあることを称賛しなければ、とんでもないことになりかねない。見え透いたおべっかを並べ立てていたら相手も聞き飽きてくるので、どんどんエスカレートせざるを得なくなる。相手をつけ上がらせてしまえば、そこから抜け出せなくなるかもしれない。

とくに、自慢称賛型の場合、周囲からの称賛を渇望しているだけに、誠実なほめ言葉と心にもないお世辞を見分ける達人であることが多く、要注意だ。何をほめていいのかわからないとか、「媚《こ》びているように思われるかも」という不安がある場合は、自慢話を聞き流しておけばいい。ラ・ロシュフコーも言っているように、「沈黙とは、自信なき者の最も安全な手段」なのだから。

別の見方もできることを示唆

あなたがほめることで、「プライドが高くて迷惑な人」の称賛への渇望が満たされたとしても、それで終わるとは限らない。今度は他の人に対する批判を延々と聞かされる羽目になるかもしれない。

「あいつは馬鹿で、何もわかってない」
「あいつは恩知らずで、お返ししてくれない」
「あいつは意地悪で、わざと能力を認めないようにしている」

だいたいそのような類の悪口で、要するに、自分が本来受けるべき評価や称賛、場合によっては特別扱いがないことへの不満を並べ立てているだけだ。

そういう場合は、他の人の見方は違うのだということをそれとなく示唆するのがいいだろう。他の人の意見が正しいと主張して、それを押しつけるのではなく、各人にはそれぞれの見方や考え方があるのだという事実を示すのである。

一例を挙げよう。

ある30代の男性会社員は、プライドの高い同僚の怒りをうまく鎮めた先輩のエピソードを次のように語った。

「うちの会社は年俸制で、年に1回、直属の上司と面談して給料などの条件について話し合うことになっています。プライドの高い同僚がその話し合いに臨んだのですが、憤《ふん》懣《まん》やるかたない顔つきで戻ってきました。聞けば給料の増額を提案されたらしいのですが、その額が小さくて不満だったようです。

同僚が怒るのも無理はありません。彼はわれわれの部署では営業トップの成績をたたき出しています。まあ、お父さんが大会社の役員らしく、そのコネでもらってきた仕事もたくさんあるようなのですが……。それでも営業成績が抜群なのは事実なので、私も彼には同情しました。ただ、どんなふうに怒りを鎮めたらいいのか、わかりませんでした。

するると、横で聞いていた先輩が、『たしかに、営業成績スゴイよね』『うちの部署は君で持ってるようなもんだよね』などと前置きしたうえで、『でも、あの上司が給料に関してすべての権限を持っているわけではないからね』と言ったのです。

先輩の説明はこうでした。あの上司は所詮《しょせん》中間管理職で、誰の給料をどれくらい上げるかを決めているのは、もっと上の人間のはず。社員全体の給料には一定の枠があるのだから、一人の給料をあまりにも上げすぎると、他の人の給料を下げないといけない、と。

同僚は、『でも、他の人は僕みたいに結果出していませんよ』と食い下がりましたが、先輩はこう諭《さと》しました。

『君の気持ちはよくわかる。だからといって、他の社員の給料を下げたら、やる気をなくしてしまって、この部署全体の成績が落ちるかもしれない。そうなったら困るので、そのへんを考慮したんじゃないかな』
この説明で、同僚はやっと納得しました。もちろん、本心では納得しきれていないとは思うのですが、『君の営業成績はスゴイ』と認めてもらえたこともあって、怒りがおさまったようです」
この先輩がうまいのは、プライドの高い同僚の価値を認め、彼の不満や怒りに理解を示したうえで、上司には上司の見方や考え方があるのだということを説明したことである。上司はこのような話を一切せず、彼の「給料を〜くらい上げてほしい」という要求を、「規則からはずれている」「法外な要求」などと頭ごなしに退《しりぞ》けたせいで、反発と怒りを買ってしまったのである。
この事例からわかるのは、誰かを説得するには、まず相手の気持ちやものの見方をきちんと理解していることを伝えることから始めなければならないということだ。そのうえで、「理解してはいるけれど、同意しているわけではない。誰にだってそれぞれの見方や考え方、場合によってはそれなりの事情がある」と伝えられれば、お互いに意固地にならずにすむはずである。

どうしても必要な批判のみピンポイントで

これまで紹介した事例を振り返れば、「プライドが高くて迷惑な人」が批判にきわめて敏感なのは一目瞭然である。過敏とさえ言えるほどだ。そのため、こういうタイプを批判する際には慎重にならざるを得ない。

向こうが怒りを爆発させるような事態を避けたいのであれば、あなたがどうしても必要だと思う批判にとどめるべきである。それも、「これこれの行動を問題にしているのだ」というふうに的を絞って。

言いたいことが山ほどあっても、それを全部言う必要はない。あなたが、波風が立つのを承知であえて批判を口にするのは、その人の困った行動を改めてもらいたいからである。自己愛や特権意識、勘違いや不平不満を変えようとして批判するわけではない。

第一、そういった部分はそんなに簡単に変えられるものでもない。いくつかの困った行動を改めさせることができれば、人間関係が改善して仕事も円滑に進むようになるからこそ、言いたくもないことを言うのである。

この目的を忘れて批判すると大変なことになる。たとえば、「誰よりも自分が優れていると思い込んでいる」「自己中心的」などと批判したり責めたりしたら、百害あって一利なしだ。ある行動に的を絞っているわけではないので、人格攻撃のように受け取られかねない。

場合によっては、激しい怒りをかき立てて、自己正当化のための猛烈な反撃にさらされることだってある。これは「プライドが高くて迷惑な人」に限った話ではない。誰だって自分の人格を攻撃されたように感じれば、それに激しく反発しようとする。つまり人格攻撃は、プライドの高さ云々抜きに、誰に対してもやってはいけない批判である。

逆に、「これこれの行動がこういう問題を引き起こし、あつれきを生んでいる」というふうにピンポイントで具体的に指摘し、それを「直したほうがいい」と助言するだけなら、人格を攻撃することにはならない。反発も怒りも買わずにすむはずである。

たとえば、次のような指摘であれば、相手もあなたの言い分を受け入れやすいだろう。

「遅刻するのはそれなりの理由があるからだとは思うんですけど、遅れるという連絡がないと、社内だけでなく取引先にも迷惑をかけることになりますよね」

「他の人が発言しているときに横から口をはさむと、会議がスムーズに進まなくて、終わるのも遅くなりますよね」

「バーンと大きな音を立てて机をたたくと、他の人もびっくりしますよね」

できれば前置きとして、「あなたの努力や意欲は認めている」ということを付け加えておくと、聞き入れてもらいやすいだろう。

「いつも遅くまで残業しているので、帰宅が遅くなって大変ですよね」

「仕事の能率を上げるために、いろいろ提案したいという気持ちはわかりますよ」

「まじめに仕事をしているからこそ、○○さんに対して腹が立つのは理解できますけど」

といった具合に。

ただ、実際にこうした細やかな配慮を持って対応するのは結構難しい。「プライドが高くて迷惑な人」の傲慢な言動に対して、腹立たしくなって冷静さを欠いていることが多いからだ。だからといって、その腹立たしさをそのまま出すと、激しい反発を買ってしまい、事態を一層ややこしくすることになる。

ある20代の女性会社員は、プライドの高い相手にこんな態度をとったという。

「同僚のA子は、いつも自慢ばかりしてきます。新しい契約を取ったとか、テニスの大会で表彰されたとか、合コンでモテたとか……。いつも、『スゴイね』とほめてもらうことを期待しているように見えるので、イライラします。だから彼女が自慢話を始めても、無視して、聞かないようにしていました」

こういったあからさまな態度は、相手にも気づかれ、事態をより悪化させてしまう。

無視されていることに気づいたA子は、この女性の都合も聞かずに、取引先との面談を勝手に入れたり、歓送迎会の日時を決めたりと、陰湿な嫌がらせで応酬してきたという。そんなA子に対し、女性は決定的な一言を発してしまった。

「あなたは自分のことしか考えてない」

批判の仕方としては最悪である。A子は典型的な自慢称賛型に違いないが、「自分のことしか考えてない」という欠点を指摘されたからといって、それを自分で直すとは到底思えない。むしろ、「やられたらやり返す」とばかりに、指摘した人間のほうが間違っていると主張するはずである。そうなれば、批判の応酬で、収拾がつかなくなる。

この事例からもわかるように、あまり効果のない批判をするよりも、ほめられるところはほめておいて、どうしても必要な批判をピンポイントでするほうが、害を受けることも少ないし、よほど効果的なのである。

羨望をかき立てないように注意

誰の心の中にも、他人の幸福が我慢できない怒り、つまり羨望が潜んでいる。自分が手に入れたいと願いながらも手に入れられないものを、他人が当たり前のように持っているのを見ると、この羨望で心がヒリヒリするのだ。

しかも羨望は、ラ・ロシュフコーが言っているように「陰にこもった、恥ずべき情念」なので、素直に表に出すことができない。そのため、他人が手にしている幸福を、イソップ物語の「酸っぱいブドウ」のようにけなして無価値化しようとしたり、策を弄《ろう》して破壊しようとしたりすることだってある。そうすることで、心の平穏を保とうとする一種の防衛である。

「プライドが高くて迷惑な人」は、この羨望がとくに強い人種である。自分は特別な人間で、他の誰よりも特権を享受するのが当然だと思い込んでいるのだから。自分の目の前に、欲しくても手に入れられない特権を持っている他人が現れたら、とんでもなく不公平だと受け止めて、攻撃せずにはいられなくなる。

だからこそ、こういうタイプの前では、他人がうらやましがるような体験談などを語ってはいけない。たとえば、夏休みに海外旅行に行き五つ星ホテルに滞在して楽しかったとか、棚からぼた餅で親戚の莫大な遺産を相続したとか、こういった話題は控えておくべきである。豪華なパーティーに招かれて行ってみたら芸能人を見かけて挨拶した、なんて話もやめておいたほうがいい。上司から昇進を約束されていることを喜びのあまりうっかり漏らしてしまったら、あらぬ噂を流されてせっかくのチャンスをつぶされてしまうかもしれない。

羨望のもたらす悲劇を見事に描いているのがシェイクスピアの『オセロー』（福田恆

存訳・新潮文庫）である。

ヴェニスの勇敢な将軍オセローは、トルコ軍を撃退して尊敬を集めていた。だが、副官に任命されなかったことを不満に思った旗手イアーゴーは、自分をさしおいて昇進した副官キャシオーが、オセローの美しい妻デズデモーナと密通しているという話をでっちあげて、告げ口する。しかも、不義が事実であるかのように見せかけるために、オセローがデズデモーナに贈ったハンカチーフを盗んで、キャシオーの部屋にわざと落としておく。イアーゴーの作り話を信じてしまったオセローは、嫉妬のあまり、妻を絞め殺してしまうが、すべてイアーゴーの企《くわだ》てた陰謀だったと悟って、自殺する。

この悲劇において、イアーゴーが抱く感情こそ羨望である。イアーゴーは、オセローの成功や名声、キャシオーが手に入れた地位が羨ましくてたまらないからこそ、それを破壊するために謀略をめぐらすのである。

この羨望は、冒頭のシーンのイアーゴーの台詞《せりふ》「口はばったいが、自分の値打ちは自分で知っている、どう踏んでもそのくらいの地位は当然だ」が如実に示すように、「己に対する過大評価」ゆえのプライドを彼が抱いているせいで一層強くなる。その結果、これほどの悲劇にまで発展したわけで、羨望の怖さを改めて思い知らされる。

『オセロー』ほどではないにせよ、羨望の対象になってしまったためにとんでもない目に遭ったという話は、しばしば耳にする。ある30代の女性看護師は、勤務先の診療所の院長夫人の羨望に耐えかねて転職を考えているという。この女性の話を聞こう。

「私は、開業医の診療所に勤めています。以前は大きな病院で働いていましたが、出産をきっかけに退職し、子育てが一段落したので、最近この診療所に勤めるようになりました。看護師の世界は女ばかりで、妬みとかやっかみとかが渦巻いていますので、そういうのをかき立てないことが大事であるということは、身にしみてわかっていたつもりです。

当然、この診療所でも気をつけていました。とくに院長の奥さんは名家のお嬢様らしく、何でも自分が一番でないと気がすまない方のようなので、細心の注意を払っていました。一応、事務長という肩書きになっていますが、本当は院長が浮気をしていないかどうか監視するために、医療事務の知識なんか全然ないのに毎日診療所に来ているということを聞いていましたし……。

こういう方がほめ言葉に弱いのは経験からわかっていましたので、できるだけほめるようにしていました。有名ブランドのスーツでも、華道師範の腕前で生けたお花でも、とにかく何でもほめると機嫌が良く、嫌みをあまり言わなくなるからです。他の看護師から少々白い目で見られても、気にしませんでした。

こんなふうにかなり気をつけていたつもりですが、正月休みに家族でヨーロッパに旅行したことを、うっかりしゃべってしまったのです。前々から、私が頻繁《ひんぱん》に海外旅行に出かけているのを奥さんはいぶかしく思っていたようです。『パートの看護師の給料で、どうしてそんなに海外に行けるのか』と。夫が航空会社に勤めている関係で割安航空券が手に入るのだと私が正直に話したとたん、奥さんの顔色が変わりました。

それから急に機嫌が悪くなり、しょっちゅう嫌みを言われるようになりました。『優雅でいいわねえ』とか、『ご主人が高給取りだから、あなたは働かなくてもいいんじゃない』とか。おまけに、勤務日数も減らされましたので、パートの私の給料は大幅にダウンしました。どうも、夫が航空会社に勤めているというのと、そのおかげで航空券を安く買えるという特権があるというのにカチンときたようです。

この診療所ははやっていて、かなり儲かっているので、奥さんは海外旅行の航空券なんていくらでも買えるはずなんです。その程度の出費、痛くも痒《かゆ》くもないでしょう。ただ、航空会社に勤務する夫を持っている私が恩恵を受けているというのがお気に召さなかったようです。航空会社の社員といっても、幹部でもパイロットでもないので、そんなに給料がいいわけではなく、院長のほうが何倍も稼いでいるはずなんですけど……」

この事例からわかるのは、「プライドが高くて迷惑な人」は、他の誰かが何らかの特権を享受して幸せそうにしていることに我慢ならず、攻撃的になるということである。しかも、ラ・ロシュフコーが指摘しているように「羨望は憎しみよりも和《やわ》らぎにくい」ので、陰湿な嫌がらせが延々と続く場合もある。

羨望をかき立てないように、くれぐれも注意していただきたい。

反論してやっつけるのは禁物

「プライドが高くて迷惑な人」は、あなたをイライラさせるはずである。ときには耐えられなくて、拒絶反応を起こすことだってあるだろう。そうなると、敵意をあらわにして徹底的に反論したくなるかもしれないし、向こうの自己愛を傷つけてやりたいとさえ思うかもしれない。

だが、そんなことをすれば、一時的にあなたのいら立ちはおさまっても、お互いの関係は一層厄介なことになる。おまけに、向こうはあなたの言動を許せないと感じ、あなたを敵とみなして全力で反撃するようになるかもしれない。

というのも、これまで紹介してきた事例を振り返ればわかるように、「プライドが高くて迷惑な人」は、実は満たされぬ現実に欲求不満を抱いていて、自尊心を保つのに苦労していることが多いからである。裏返せば、それだけ自己愛が傷つくことを恐れているわけで、自慢したり、特別扱いを要求したり、他人を支配しようとしたりするのも、自己愛の傷つきから身を守るための防衛にほかならない。

そういう人の痛いところをあなたが突いたら、いったいどんな反応が返ってくるか？向こうは自分の言動を反省して改めるどころか、敵意と恐怖から、あなたを徹底的に攻撃するはずである。

そんな事態になれば百害あって一利なしなので、あなたのほうが「現実原則」に従って、反論したいとか、やっつけたいという気持ちをぐっとこらえたほうが結局は得というものだ。先ほど述べたように、とにかくほめて、できるだけ相手の成功を認めるべきである。そうすれば、あなたがやむにやまれぬ事情で相手を批判せざるを得なくなった場合でも、それを受け入れるだけの余裕が向こうに生まれるだろうから。

格付けに敏感なことを忘れずに

「プライドが高くて迷惑な人」は、自分は重要な人間であり、特別な敬意や配慮に値すると勘違いしていることが多い。そのせいか、他の誰かが遅れて来るとか、うっかり挨拶を忘れるとか、紹介の順番を間違えるといった、日常的によく起こりうることに対しても、すぐにイライラしてしまう。あなたにとってはどうでもいいような些細《ささい》なことが、その人にとっては重要なこともある。

ある学会に出席したときのこと。私はある男性医師と久しぶりの再会を果たした。数年間海外に留学していた彼は、まだ帰国したばかりで、学会に出席するのもしばらくぶりだったらしい。そのため、「自分のことをできるだけ多くの医師に紹介してほしい」と頼んできた。私は喜んで引き受けた。

彼は最初のうちこそ上機嫌だったものの、そのうち仏頂面をするようになった。何か気に障ることがあったのかと尋ねたところ、「紹介の順番が違う。学位もまだ取っていないような若造相手に、僕のほうを先に紹介するなんて！」という答えが返ってきた。

なるほど、そうだったのかと、その医師が不機嫌になった理由がわかった。私はできるだけ多くの同業者と知り合いになっておくほうが、今後の彼の日本での活動に有利に働くだろうと考え、善《よ》かれと思って若手医師のグループにも紹介していた。しかしその際、彼を先に紹介したのがまずかったらしい。

彼にすれば、自分は学位を取ってから留学し、向こうで研究して実績を積み上げてきたのだから、それなりの敬意を払われて当然という思いがあったのだろう。だからこそ、先に若い医師を一人一人紹介するのが筋なのに、私が先に彼を若手のグループに紹介したのが、お気に召さなかったようである。

私にとっては、紹介の順番なんか大したことではないのだが、彼にとっては大問題のようで、「偉い先生」として扱われなかったのがご不満のようだった。もっとも、彼が一番カチンときたのは、それなりの医学雑誌に英語の論文を発表したこともあるのに、若手の医師がそれを全然知らなかったということらしいのだけれど……。

私の失敗談からもわかるように、プライドが高いほど格付けに敏感なため、あなたにとっては何でもない些細なことでも、向こうは「リスペクトが欠けている」などと受け止めることがあるので注意が必要である。

特別扱いはしない

「プライドが高くて迷惑な人」の中でも特権意識型は、特別扱いを要求することが多く、それを受け入れてもらえないと、怒り出したり、不平不満を並べたりする。だからといって、そういう人たちの要求をいちいち聞いていたら、どんどんエスカレートするおそれがあるので、特別扱いをしてはいけない。

精神医学では、治療において、明確な限界を設定して一貫性のあるはっきりとした態度を維持する「リミット・セッティング（限界設定）」が大切だと言われており、最近とくに重視されている。

リミット・セッティングとは、「ここまでは許せるけどこれ以上は許せない行為だ」とはっきり決めて対応することである。夜何時以降は電話しても出られない、予約時間に大幅に遅れたら診察できないという約束をしておいて、よほどの緊急時以外は守らせるようにするわけである。

患者さんの要求を何でもかんでも受け入れていたら、かえって患者さんを混乱させることがわかってきたので、適切な距離感と客観性を保つためにも、リミット・セッティングが注目されるようになった。

このリミット・セッティングは、「プライドが高くて迷惑な人」と接する際にも守るべき原則である。何も難しいことはない。常識的な対応をして、「できないことはできない」「許されないことは許されない」と、他の人に伝えるのと同じように伝えればいいのだ。

ただ、特権意識型は、「他の人にはできなくても、私にだけはやってほしい」「他の人には許されなくても、私にだけは許してほしい」などと要求することが多いので、周囲は非常に困ることになる。

それでも、そういう要求は受け入れられないと一度きちんと伝えれば、少なくともあなたに対しては二度と同じ要求をしないはずである。「あの人は私を妬んでいるから、私に対してだけ厳しい」とか「融通がきかない」と誹謗中傷するかもしれないが、そんなのは聞き流しておけばいい。あなたを避けるようになるかもしれないが、そうなればしめたものだ。面倒なことに関わらずにすむ。

特権意識型の要求を一度でも受け入れると、エスカレートしてしまうことを忘れてはいけない。リミット・セッティングの原則をぜひ守っていただきたい。

振り回されないように気をつけて

「プライドが高くて迷惑な人」は、最初のうちは周囲に、優秀で頭が切れるとか、人を惹《ひ》きつける魅力があるという印象を与えることが多い。これは、本人が自分の能力や魅力を誇示したがるせいでもあるが、何よりも「自分は特別偉い人間で、他の誰よりも価値があるのだから、特別扱いしてもらって当然」という思い込みゆえに自信ありげなふるまいをすることが大きいだろう。

おまけに、自己愛が強いせいで、他人には自分と同等の重要性を認めていない場合も少なくないので、どうしても周囲を振り回しがちである。とくに操作支配型の場合、他人の感情をもてあそぶ言動や、人を人とも思わない思い上がった態度が目立つ。

ある建築設計事務所に勤務する20代の女性は、所長が典型的なこのタイプであるため、随分と苦労しているという。

「所長は、従業員を思い通りに操ろうとします。しかも、部下が自らの意思でそうしたのだという印象を与えるように工夫していて、決して自分が押しつけたわけではないというように見せます。

よく使う手段は、罪悪感を与えるというやり方です。たとえば、事務所が休みの日曜日に、クライアントのところに同行してもらえないかと誰かに頼むことがあるのですが、断られるとものすごく悲しそうな顔をします。

所長はいつも、クライアントのところに行く際に二、三人の従業員を引き連れて行くのが好きなようです。小さな事務所なので専任の秘書がいるわけではなく、たった二、三人でも同時に出て行ってしまうと、残った人間はてんやわんやなのですが、そんなことにはお構いなしです。しかも、必ず一人は若い女の子を連れて行こうとします。先方に、自分の秘書だと思わせたいのかもしれませんが、私たちは『大会社の社長じゃないんだから』と陰口をたたいています。

で、同行を断られると悲しそうな顔をするというのは先ほどの通り。それだけならまだしも、『君を怒らせるようなことをしたかね』とか『何か気に入らないことでもあったのかね』と尋ねてくるのです。こんなふうに言われると、断った自分が悪いみたいな気になってしまうので、結局クライアントのところに一緒に行くことを承知するしかありません。

貴重な休日がつぶれても、残業代が出るわけではないし、所長からは『ありがとう』の言葉もありません。従業員は強制されたのではなく、あくまでも自分の意思で同行すると決めたのだから、特別手当を出す必要も感謝する必要もないというのが所長のスタンスです。

それでも時折、罪悪感を与える手法だけではうまくいかないこともあります。すると所長は次の手を使います。たとえば、『本当にやる気のある奴とそうじゃない奴は、待遇が違って当然だよな』などと、ほのめかします。こんなことを言われると、所長の要求を受け入れなかったら、自分が『やる気のない奴』に分類されてしまうのではないかという不安にさいなまれて、断れませんよね。

こういうのは一種の脅しじゃないかと思うんですが、ことあるごとに脅し文句をそれとなく付け加えるのが所長は好きなようです。『君が一番協力的だと思っていたけど、そうじゃないみたいだね』とか『われわれは同じ船に乗っているんだから、この仕事がうまくいかなくて事務所が沈没したら、君も沈むんだよ』というふうに……。

こうした脅し文句を毎日毎日聞かされて嫌気がさしたこともあって、次の仕事を探したほうがいいのかなと思っていたら、同僚の女の子も同じことを考えていました。彼女は次の職場の採用通知を受け取ってから、『家庭の事情で辞めたい』と所長に伝えたらしいのですが、『この業界では顔が広いから、よそで働けなくするのは簡単』などと所長から脅されたようです」

操作支配型は他人、とりわけ自分より弱い立場の人間を操作して支配したがる特徴がよく見られる。しかも、罪悪感を与えることもあれば、脅し文句を並べることもあり、手を替え品を替え支配しようとするので、本当に厄介である。

最初は低姿勢なのでわかりにくいかもしれないが、ある程度つき合っていると次第にわかってくる。このタイプだとわかったら、できるだけ関わらない、避ける、逃げるが鉄則である。もっとも、この所長のように脅して恐怖を与えることによって、逃がさないようにする場合もある。どんなふうにして逃げればいいのかは次の章でも少し触れていきたい。

「ギブ・アンド・テーク」は期待するな

もし誰かがあなたのために何かをしてくれたら、借りがあるように感じて、できるだけ返ししなければと思うだろう。それが「通常」の反応である。「通常」とわざわざかっこを付けたのは、こういう反応が必ずしも自然な感情にもとづくものではないからである。

自然な感情としては、借りがある相手に対しては何となく負い目を感じて、できれば避けたいし逃げたいというところだろうが、そんなことをすれば、恩知らずとののしられるかもしれないとか、とんでもない仕返しをされるかもしれないという恐怖があるために、感謝してお返しをしなければならないという気になるだけの話である。

また、お返しをしなければならないと幼い頃から教え込まれてきたことや、第三者からどんなふうに見られるかを気にすることもあって、「ギブ・アンド・テーク」が当然だとわれわれは思い込んでいる。だがこれは、「プライドが高くて迷惑な人」には通用しないようだ。

ある編集プロダクションで働く20代の女性は、「恩を仇で返された」という最近の経験を次のように語った。

「B子は、大学時代の同級生です。新聞社や出版社で働きたいとずっと言っていたのですが、どこも落ちて、就職浪人していたときに、私が今の会社に紹介したのです。最新のトレンドに敏感で、誰に対しても物怖《ものお》じせずズバズバ言うところが編集長に気に入られて、私と同じ部署で仕事をするようになりました。主に旅行関係のパンフレットや雑誌に載せるルポを書くところです。

一緒に働くようになってすぐに編集会議で積極的に発言するようになりました。他のスタッフが発言している途中でも平気で割り込んで自分の意見を言い、一番おもしろいテーマを取ってしまうのです。それも、タダで旅行に行けるオマケも付いているおいしい話ばかり。B子はいつも自信満々だし、プレゼンもうまいので、会議でも目立っていて、どうしても編集長が彼女にやらせようとなっちゃうんです。それで、私も他の同僚もイライラしてしまうわけです。

そういう状況がずっと続いていて、自分のところになかなかおもしろいテーマが回ってこなかったので、ついこの間、私がパリのホテルを取材すると決まったときは、本当にうれしかったんです。同じ時期にB子は北海道に取材旅行に行くことになっていたので、ちょっと勝ったかな、という気持ちでした。

ところが編集会議の後、B子が私のところに来て、『私が行くはずだった取材を横取りした』と涙を浮かべて私を責めたのです。彼女は、『私がずっとフランスに興味を持っていたことをあなたは知っていたはず。私は大学時代に第二外国語としてフランス語を取っていたし、パリに行くことをずっと夢見ていたのだから』とも言いました。そんなふうに責められて、私の気持ちは揺らぎました。

B子はそんな私の心の動揺を見逃さず、すかさず『代わってくれるわよね！』と叫んだのです。私はムッとして黙り込んでしまいました。私としては、そうすることで拒否の意思を伝えたつもりでしたが、言葉ではっきりと断ったわけではありません。

すると、B子は編集長に電話して『行き先を交換することになりましたから』と報告し、勝手に許可をもらったのです。まあ、編集長としては、記事ができてくればいいので、どこに誰が行こうが関係ないでしょうし、B子を前から気に入っているので、行き先交換を認めるのは当然でしょう。こうしてB子はパリに、私は北海道に行くことになりました。そのときの彼女の勝ち誇った顔が忘れられません。

この一件以来、彼女の存在自体を重圧として感じるようになりました。彼女が私を邪魔者として押しのけようとしているようにさえ見えます。彼女を今の会社に入れてあげたのは私なのに、本当に恩知らずです！」

この女性は「恩知らず」と言っているが、そもそもB子のほうは、紹介してもらったおかげで会社に入れたことに恩義など感じてはいない。むしろ「やってもらって当たり前。私にはそれだけの能力と価値があるのだから」と思い込んでいる可能性が高い。

もしかしたら、多少負い目を感じているかもしれない。だとすれば、それはそれでまた厄介である。負い目があればあるほど、コンプレックスを跳ね返すために、借りがある相手に負けたくないとライバル意識を燃やすのが、「プライドが高くて迷惑な人」の特徴だからである。この女性のほうも、「紹介してあげたのに」と恩着せがましい態度を知らず知らずのうちに示していたかもしれず、それがB子の敵愾心《てきがい》に一層火をつけた可能性もある。

とはいえ、取材旅行の行き先を無理矢理交換させるとは、驚くべき豪腕である。「自分は特別だから、頼めば聞いてもらえる」「こういうことをしても許される」「一般的な規則は自分には適用されない」などと勘違いしているのだろう。このような勘違いを助長した一因が編集長に気に入られていることだが、こんなふうに権力を持つ人にうまく取り入ることができるのも「プライドが高くて迷惑な人」の特徴である。

こうした事例を見ると、「プライドが高くて迷惑な人」には、「ギブ・アンド・テーク」なんか最初から期待しないのが賢明だということがよくわかる。「私がもっと優しく接してあげれば、向こうも態度を変えるかもしれない」などという甘い期待は、決して抱かないことだ。

そういう接し方は、愛情に満ちた家族や恋人との関係では必要だが、それが通用しない相手だっている。「謙譲の美徳によって尊大を打ち砕けると考えることはたいてい失敗に終わる」というマキアヴェッリの言葉を、「プライドが高くて迷惑な人」と向き合う際には決して忘れてはならない。

また、あなた自身の中に見返りを期待する気持ちがあれば、潔く捨て去らなければならない。「そんな気持ちは自分にはない」とおっしゃる方が大半だろうが、「われわれに友情を感じさせるのは利害関係だけなのだ。われわれは、彼らに何か良いことをしてあげたいから献身するのではない。お返しをしてほしいからである」というラ・ロシュフコーの毒舌を思い出して、心の片隅でお返しを期待している自分自身を戒めたほうが、「プライドが高くて迷惑な人」とのつき合いでは、ストレスを感じずにすむというものである。

以上、本章ではプライドの高い人とのつき合い方として気をつけるべき点を述べてきたが、いくら対策をしても限界があるし、すでにもう、実際に被害を受けてしまっているという方も少なくないはずだ。そこで次章では、プライドの高い人から被害を受けてしまった場合にどうすればよいか、その処方箋を紹介したい。

第5章

処方箋

この章では「プライドが高くて迷惑な人」がしばしば示す言動を取り上げて、そういう言動をする理由、もたらす実害、対処の仕方などについて具体的に述べることにしたい。すでに被害を受けているという方は、ぜひ参考にしていただきたい。

平気で他人の話に割り込む人への対処法

平気で他人の話に割り込むのは、自分を認めてほしいからにほかならない。裏返せば、自分自身を過大評価しており、「自分はこんなにスゴイのに誰も認めてくれない」「誰も自分の話を聞いてくれない」という不満を抱いているということでもある。

こういう人は自分の話ばかりしたがるので、会話が成立しにくい。そのため、周囲はどうしても避けるようになる。「あの人と一緒にランチに行くと、自慢話ばかり聞かされてうんざりするので、時間をずらそう」という具合である。その結果、本人はますます疎外感にさいなまれるようになり、他人の話の腰を折ってでも、自分の実績とか自分の考え方を話そうとして悪循環に陥ってしまうのである。

平気で他人の話に割り込む人は、延々と話していら立たせるだけでなく、悪しき前例も作る。こういう人がグループの中に一人でもいると、他の人も会話の流れとは無関係に自慢したり、個人的な経験を話したりしたくなるからである。そうなれば、脱線に次ぐ脱線で、雑談ならいざ知らず、会議では何も決められないまま時間だけが過ぎていくということになってしまう。

このような場に居合わせると、対応がどうしても両極端に走りやすい。強引に口を封じようとするか、向こうが疲れ果てるまでしゃべらせておくかのいずれかである。前者であれば、敵を作ることになりかねないし、後者であれば、延々と話を聞かされてうんざりするのが落ちだろう。

それでは、どうすればいいのか。

平気で他人の話に割り込むのは、自分を認めてほしい、話を聞いてほしいという欲望ゆえということを理解したうえで対処すべきである。その原因は、子供の頃に親が強圧的で全然話を聞いてくれなかったせいかもしれないし、家でおしゃべりな妻が愚痴ばかりこぼしているせいかもしれない。

いずれにせよ、本人は自分の話を誰かに聞いてほしいという欲望を抱いていることが多いので、まず、少なくとも「話は聞きました」というふりだけでもするべきである。「いい加減うんざりしているのに、そんなことをするなんて」とお思いになるかもしれないが、そうしなければ、向こうは延々と話し続ける可能性が高い。

ちゃんと聞いているということを伝えたうえで、できれば「わかりました。あなたがおっしゃりたいのは、〜ということですね」と話の内容を要約して聞き返すのも一つの手である。できるだけ短く簡潔なほうがいい。そうすれば、「あなたが延々と話しているのは、結局はこういうことですね。こんなに簡単にまとめられるんですよ」と皮肉ることになるからである。

まあ、皮肉が伝わらないこともあるだろう。第一、延々と続く話がまとめようのない程とりとめのないことも少なくないだろうから、話の内容を簡潔に要約するのは難しいかもしれない。ただ、とりあえず、ちゃんと聞いているのだという印象を与えるためにも、こういう形で聞き返しておくほうがいい。

それでも、向こうが延々と話し続けるようなら、次の手段に訴えることが必要になる。まず、視線を合わせないようにすることだ。視線を合わせると、話を促しているように受け取られかねないので、視線をそらしたり、他の人のほうに顔を向けたりして、思い違いを助長しないようにするのである。

向こうの話が少しでも途切れたら、すかさず元の話題に戻って話し始めるのも手である。自分自身が「他人の話に平気で割り込む人」になってしまうのではないかと不安を感じる方もいらっしゃるかもしれない。しかし、周囲の人もうんざりしているような状況では、むしろ感謝されるはずなので、周囲の反応を見きわめたうえで、ときにはこういう手も使ってみてはどうだろうか。

会議や研修会などで、時間が決められているのに、他人の話に割り込んで延々と話し続けるような人物がいる場合は、脱線している時間はないということを丁寧に伝えるべきである。「～時までに終わらせないといけないので手短にお願いします」とか、「今日の本題とは関係のない話は別の機会にお願いします」という具合に。

何度も時計を見ることによって、それとなく意思表示をするという手段もあるが、そういうボディー・ランゲージ（身体言語）に鈍感というか、そんなのは全然気にしないからこそ、平気で他人の話に割り込むわけで、あまり効果はないかもしれない。私自身も、こういう人を目の前にして辟易したことが何度もあり、そのたびに、自分は偉いと思い込んでいる人の勘違いを正すのは至難の業だと痛感した次第である。

本題から平気ではずれる人への対処法

本題とは直接関係のない話や質問をするのも、「プライドが高くて迷惑な人」にありがちである。

会話の流れを意に介さないのは、そのときどきの自分の関心や思いつきが最優先されて当然だと思い込んでおり、あることについて聞きたい、しゃべりたいという欲求がすぐに満たされないと我慢できないからである。このような欲求を周囲は満たすべきだし、そうしてくれるはずという傲慢な思い込みが根底に潜んでいることも多い。

おばちゃんの井戸端会議ならともかく、会議や話し合いの場にこういう人が一人でもいると、非常に厄介である。他人の話に平気で割り込む人と同じように脱線の口火を切るおそれがあり、何も決められなくなってしまう。

かといって、無視して、先ほどまで話していたテーマに戻ると、強い欲求不満を与えることになる。第一、そういう拒否的な態度を示したあなたのほうが許容力のない人間のように思われてしまうかもしれない。平気で本題からはずれた話や質問をするタイプは自己中心的なことが多いので、注意深く対応しなければならない。

いったい、どうすればいいのか。

このような言動が問題になるのは、雑談ではなく、会議や話し合いの場なので、最初に、こういう問題については話し合うが、それ以外の問題は取り上げないと伝えておくことが必要である。議論の対象を明確にしておかないからこそ、本題からはずれた質問をするような人間が出てくるのだから。

もっとも、自分が中心にいなければ気がすまず、常に注目を集めていたい自慢称賛型の場合、あえて関係ない質問をすることによって注目を集めようとすることもある。また、自分が常に取り仕切っていないと気がすまない操作支配型の場合、他の人が議長だったり、議論の中心にいたりすると、あえて関係のない話を始めることによって、混乱させようとすることだってある。

そういう場合も、最初に議論の対象を明確にしておけば、「それは、今日話し合うテーマではないことは最初にお伝えしておいたはずですが……」と言える。しかも、こんなふうに釘を刺せば、話し合いの主導権を握っているのはあくまでもこちらなのだ、とほのめかすことができるのである。

批判ばかりする人への対処法

現状を少しでも改善するために、納得できない点があれば反対したり、心配な点があれば指摘したりするのは必要なことである。だが、いつも批判ばかりする、しかも建設的な批判ではなく、ただ相手の価値を否定するためとしか思えないような批判を繰り返すタイプがいる。

たとえば、誰かが会議で発言するたびに、「賛成できません」「その数字には納得できません」などと話をさえぎって、厳しく批判する。このような批判をするのは、「プライドが高くて迷惑な人」に多い。

なぜ、こんなことをするのか。

まず、他人の意見を否定したり、価値を疑問視したりすることによって、自分のほうが優位に立ちたいという欲望が強いからである。もちろん、その根底には強い敵意や攻撃性、そして羨望が潜んでいるので、他人をほめるようなことはせず、けなしてばかりいる。

ほめることが全然ないわけではないが、自分がほめられたいためにほめる、自慢したいためにほめるようなところが垣間見える。たとえば、他人の服装の批判ばかりしている女性が、珍しく誰かの服装をほめたと思ったら、相手が着ているのと同じブランドのスーツを自分も身につけていたことがあった。ほめた女性は、結局そのブランドを選んだ自分のセンスの良さをほめてもらいたかったのだと妙に納得したものである。ちなみに、ほめられた女性の話によれば、ほめた女性が着ていたスーツは「何十万円もする超高級品で、私のスーツの何倍もする」のだとか。

また、恐怖を抱いていることも多い。他人の発言や提案が認められたら、自分の価値や重要性が相対的に低下するのではないか、現在の自分のポジションが悪くなるのではないかという恐怖を抱いているからこそ、妨害のようなことをするのである。

このようなタイプがあなたの周囲にいたら、非常に厄介である。あなたが何か言うたびに批判して、混乱させる。そのせいで、あなたの発言の正当性が第三者から過小評価されるかもしれない。当然、あなたは顔をつぶされたと感じて、怒りを抑えきれず、真っ赤になってしまうことだってあるだろう。

だが、ここで即座に反応するのは避けるべきだ。それこそが向こうのねらいかもしれないのだから。意地の悪い批判をされたとしても、その真意がいったいどこにあるのかを見きわめずに反論するのは禁物である。

まず、気持ちを落ち着かせるためにも、相手の批判をポジティブに受け止めよう。批判されたことによって、あなたが考えてもいなかった問題や欠点に気づくことができるかもしれないし、現状を改善することもできるかもしれないのだから。

また、言葉で伝えられた批判は、向こうが黙ったまま心の中に秘めている批判よりずっと扱いやすいということも忘れてはならない。一番面食らうのは、表向きは不満など抱いておらず賛成しているふりをしていた相手が、実は不満たらたらで、反対したくてもできなかっただけなのだと、後になって思い知らされるような場合なので、そんなふうにはならなかっただけましだと受け止めるべきである。

こうして動揺をできるだけ表に出さないようにしながら、相手の批判の意図を読み取っていく。漠然とした批判であり、この点をこれこれの理由で批判すると明確に指摘していない場合は、そこを突いて聞き返すのがいいだろう。

こういう批判は結構多い。たとえば、「賛成できません」と反論するかもしれないが、「この計画を期日までに完成するのは難しいから」というふうに理由を最初から明確にすることはあまりない。また、「わかりません」と言うかもしれないが、どの点がどんなふうにわからないのかを最初から説明することもあまりない。

そこで、どの点について、どんな理由で賛成できないのかとか、どの辺が、どんなふうにわからないのかと聞き返すことによって、時間稼ぎをするわけである。向こうがどう答えようかと頭を悩ませている間に、あなたは批判に対する適切な答えを見つけることができるだろう。

批判する側の立場に身を置いて感情移入してみることも、ときには必要である。先ほど指摘したように、批判ばかりする人は、実は恐怖を抱いていることが多い。変化への恐怖、自分の権力や影響力を失うことへの恐怖、仕事の負担が増えることへの恐怖、会計がガラス張りになることへの恐怖……など、さまざまである。

なので、そういう恐怖を和らげるためにも、一応「ええ、あなたのおっしゃりたいことは、わかりました」とか「あなたのご心配はわかります」と言っておくほうがいいだろう。重要なのは、できるだけ誠実にふるまうことである。

相手の顔も見ず、視線も合わさずに、早口で言ったら、単なる決まり文句を口にしているだけだと受け取られてしまう。本心ではそうであっても、少なくとも、誠実なふりだけはしておくほうがいいだろう。向こうの立場や感情も考慮しているような印象を与えることによって、あなたの話に耳を傾けてもらえるようになれば、儲け物だ。

架け橋を作るためには、「ええ、あなたのおっしゃることも、もっともです」という言葉も有効である。この一言にお互いの緊張を和らげる効用があるのだから、必要な場合には、自分の面子《メンツ》がつぶれることを恐れずに使うべきである。その結果、向こうの批判の矛先が鈍れば、反発を受けるよりも、得るところが多いだろう。

もっとも、そこまで譲歩しても、一層辛らつな批判を向こうが続けることもあるかもしれない。図に乗って、ここぞとばかりに関係のないことまで持ち出し、あなたを厳しく批判するかもしれない。

「プライドが高くて迷惑な人」は、この手の批判をすることがむしろ多い。建設的な提案なんかなく、けなすためだけにやっているようにしか見えないこともある。そういう場合は、答えずに静観しておくほうが賢明だろう。第一、そんな批判に答える義務などない。そのことは、周囲も理解してくれるはずだ。

向こうは、あなたを批判して、あなたの価値を相対的に低下させることによって、優位に立ちたいだけだ。そんな批判を真に受けて、同じ土俵に上がるようなことをしたら、墓穴を掘るだけである。

口うるさい人への対処法

口うるさく注意するのも、「プライドが高くて迷惑な人」にありがちである。

ときには、いちゃもんをつけているようにしか見えないこともある。表面上は、「きちんとしなければならない」「正確にしなければならない」などと完璧主義を持ち出して、いい加減なことが許せないからこそ口うるさく言うのだというふうに装っているが、実は他人のあら探しをすることによって、自分のほうが優位に立ちたいのである。

自分の優位性を誇示したいだけでなく、他人を操作して支配しないと気がすまない操作支配型の場合は、あなたがどれだけ努力しても満足しない。どれだけ頑張っても、ダメ出しをして、やり直させる。１００点満点をめざして研鑽を積むように要求する。

こういうタイプは非常に厄介である。まず、仕事の負担が増える。また、向こうが要求する完璧なレベルに到達するのは困難なことが多いので、こちらの欲求不満が募る。

しかも、あなたが仕事をぞんざいにしているかのような印象を周囲に与える場合だってある。何よりも困るのは、時間がかかって仕方ないことである。

もちろん、仕事はできるだけきちんとしなければならないし、技術を磨くうえで完璧主義が必要な場合もあるので、向こうの要求に耳を傾けることは必要だ。だが、100点満点をめざすあまり細部にこだわる要求に全力で応えようとすると、ただ時間とエネルギーを費やしてくたくたに疲れ果てるだけのことが少なくない。

場合によっては、要求がころころ変わることもあり、それまでの努力が水の泡になってしまうことだってある。なので、向こうの要求にまともに応えようとしないほうがいいだろう。

かといって、何の配慮もせずに無視していたら、はめられてしまうかもしれない。何しろ、他人のあら探しをする達人なので、ここがきちんとしていないとか、この数字が正確ではないというふうに不備な点を見つけ出して、あなたを攻撃するようなことになりかねないので、要注意である。

いったい、どんなふうに対応すればいいのだろうか。

まず、向こうが要求する通りにやろうとすれば、時間がものすごくかかることを伝えるべきである。「あなたのおっしゃる通りに進めると、締め切りに間に合わなくなったり、他の業務ができなくなったりするかもしれませんが、それでもやらなければなりませんか?」と尋ねてみるのも手である。

もっとも、こういうタイプは、それでもやれと命令することが多く、そのせいで長時間の残業を強いられている方もいらっしゃるだろう。しかも、命令する側が、重要なことだと思ってこだわっていることが、客観的に見ればたいしたことではないような場合もある。ときには、どうでもいいことだってある。

完璧主義ゆえのこだわりは、創造的な仕事に携わる作家や芸術家などの場合は、素晴らしい作品を生み出すために必要なのだろうが、職場や家庭に完璧主義を振りかざして口うるさく注意する人がいると、周囲は辟易して疲れ果ててしまう。その結果、自信をなくしたり落ち込んだりして、心療内科や精神科を受診した患者さんをたくさん診てきたので、こういうタイプにいろいろ言われても、真に受けないで聞き流す「スルースキル(鈍感力)」を養うことが必要だと、つくづく思うのである。

自分のやり方や考え方を変えない人への対処法

自分のやり方や考え方を変えようとしないのは、プライドが高いがゆえに「俺流」を過大評価しており、それが最も優れていて正しいと信じ込んでいるからだが、同時に変化を恐れているからでもある。

このような恐怖を抱いているからこそ、新しいことを導入しようという提案に対して頑《かたく》なな態度を示すのだが、うがった見方をすれば、環境が変わるとうまく適応できなくて無能の烙印を押されてしまうのではないかと恐れているのだとも言える。

いずれにせよ、変化とか革新には、とにかく反対する。何であれ新しい方法には頑強に抵抗し、古いやり方に固執し続けることだってある。よそではほとんど使われてないようなやり方であっても、それが自分に一番合っているなどと主張するので、周囲は閉口する。

たとえば、以前、私が週1回外来を担当していたある診療所では、電子カルテを導入していなかった。パソコンを使えないスタッフさえいた。パート医師の私が口出しするのもどうかとは思ったのだが、他の勤務先ではどこでも電子カルテを使用しており、いかに便利かを痛感していたので、オーダリングシステムだけでも導入して、処方箋や検査の指示をパソコンに入力するようにしてはどうかと提案した。他の医師も同じような提案を何度もしたらしいが、いずれも却下された。

初期投資が必要だからというのがその理由だったが、電子カルテを導入すれば人件費を節約できるはずなので、なぜ経営者側が頑なに拒否するのか理解できなかった。だが、その診療所を経営している病院の事務長と話す機会があり、合点がいった。

この事務長は、80代とかなり高齢で、かつては大きな病院で事務長をしており、そこを定年退職した後、この診療所の経営母体である病院に勤務するようになったらしい。事務長のプライドを支えていたのは、大病院で事務長をしていたという経歴だった。それが20年以上前のことだったとしても……。

しかも、その大病院の理事長は故人だが、かなりの大物だったらしく、「あの先生とこの病院の経営者が親戚だった縁で、あの先生のご推薦でこの病院に勤めるようになったのだから、辞めるわけにはいかない。院長は最近来たばかりで、事情がわかっていない。私がいなければ、ここの病院は全然回らないから、この年になっても頑張っている」ということだった。

なるほど、この事務長は、電子カルテなんか導入したら、自分の重要性や存在価値が低下して必要ないと思われてしまうのではないか、場合によってはお払い箱にされてしまうのではないかと恐れていたからこそ、頑なに拒否して昭和のやり方にしがみついていたのだろう。

事務長の頑迷な態度が許容されてきた背景には、それなりの事情もあった。この病院の経営者は、病院が儲かりそうだからという理由で親から相続した土地に病院を建てたものの、医師免許を持っておらず、院長になれなかった。そのため、別の病院を定年退職した高齢の医師が雇われ院長として勤務していた。そういう事情もあって、事務長が病院経営を実質的に取り仕切っていたのである。

第2章で紹介した旧世代の抗生物質を処方し続けている老先生（こういう方をわれわれの業界では「おじ医ちゃん先生」と呼ぶ）もそうだが、なまじ成功体験があるだけにプライドが高く、イノベーションに頑強に抵抗して老害になりやすい。

もちろん、何でもかんでも新しいものを取り入れればいいというわけではない。変化や革新に抵抗する保守的で慎重な方の助言があるからこそ、新しい技術や方法にだって欠点や弊害はあり、必ずしも万能薬ではないのだということに気づけるのである。

とはいえ、こういう人の保守的な頑迷さは、さまざまな実害をもたらす。とくに管理職の場合は、新しいことを導入しようという部下の意欲をそいでしまう。新手法や新技術を提案しても、どうせはねつけられるだけだという気持ちが生まれて、自主規制するようになるからである。その結果、閉塞感も漂うようになれば、それに嫌気がさして辞める人間も続出するかもしれない。

そうなれば、変化や革新を嫌う側にとっては、むしろ思うつぼである。残った者は、新しいことを導入するなんて夢にも考えず、今まで通りのやり方を続けて惰性で仕事をするだろうから、安泰というわけである。

こういう人への対応は非常に難しいが、変化や革新に抵抗するのは、新しいものを導入したら、自分はうまくなじめず排除されてしまうのではないかと恐れているせいだということを思い出していただきたい。

新技術を使いこなせないのではないか、新システムの導入に伴うさまざまな変化にうまく適応できないのではないか、などと恐怖を抱いていながら、プライドが高いせいで、このような恐怖を表に出せないからこそ、頑強に反対するのである。

なので、まず安心させることが必要だ。あなたが新たに導入しようとしている技術や手法は、簡単でわかりやすく、慣れれば誰でも使いこなせるようになることを強調すべきである。その際、専門用語はできるだけ使わないようにして、できるだけ平易な言葉で説明するのも重要なポイントだろう。

もっとも、それでも向こうが反対する場合もある。そういう場合は二つの可能性が考えられる。誰でも簡単に使いこなせるようになって、自分自身の存在感が低下することを恐れているか、もしくは、どうしようもない石頭で、自分が常に正しいと信じ込んでおり他人の提案なんか頭から軽蔑しているか、そのどちらかである。

いずれにせよ、つける薬はないので、進化論で有名なダーウィンの「最も強いものが生き残るのではない。変化に適応できるものが生き残るのだ」という言葉を持ち出して、チクリと皮肉ってみてはどうだろうか。

しょっちゅう遅れる人への対処法

しょっちゅう遅れるのも、「プライドが高くて迷惑な人」にしばしば認められる行動である。夜型の生活を送っていて朝なかなか起きられないとか、支度に手間取るという事情もあるのだろうが、第2章で紹介した20代の女性社員のように遅刻を繰り返すのは、多くの場合、自分は特別なので「重役出勤」しても許されるという特権意識を抱いているせいである。

遅れても待ってもらえると思っているからこそ、遅刻を繰り返すのだろうが、会議や打ち合わせなどでじっと待っている他の人は、その分だけ時間を損していることになる。遅れて来ても、悪びれもせず、謝りもせず、平気な顔で席に着くのを見て、怒鳴りたくなったことのある方もいらっしゃるのではないだろうか。

こういうタイプが一人でもいると、さまざまな実害をもたらす。たとえば、誰かが会議に遅れて来るような場合、その到着を待っていると、その人を重視しているというメッセージを暗黙のうちに与えてしまう。「あなたが来ないと会議を始められません。あなたは重要人物なので」というふうに。

だからといって、到着前に会議を開始すると、参加者の集中力が途切れる事態に陥るおそれがある。その人が到着して席に着くまでの間、参加者の視線が注がれることになるからである。

そのとき、あなたが発表したり発言したりしていたら、大迷惑だろう。もし、遅れて来た人に直接関係のあることであれば、その人がいなかった間にあなたが言ったことをもう一度繰り返さなければならない羽目になることだってある。

打ち合わせの場合は、その人が来なければ始められないので、一層困る。しびれを切らして待っている間、イライラして強いストレスを感じたとか、不快な思いをしたという方は少なくないだろう。

本当は、こういうタイプを待ってはいけない。こちらが待てば、向こうの「自分は偉い」「自分がいなければ何も始まらない」「自分には待ってもらえるだけの価値がある」

という勘違いにさらに拍車をかけることになるからである。

にもかかわらず、日本社会では、遅れる人を待って会議などを始めることが多い。このような習慣のせいで、先ほど述べたように、時間通りに到着した人は、待たされて貴重な時間を損することになる。

おまけに、悪しき前例を作るという弊害も伴う。全員そろわなければ会議を始めないという前例があれば、みんなそれを見越して遅れて来るようになるからである。遅れて来ても罰を受けずにすむのであれば、なおさらである。

なので、原則として、遅れて来る人を待たずに時間通りに会議を始めるのが望ましい。その人がいなかった間に取り上げた重要な点については、後で説明しなければならなくなるとしても、それは仕方ないと思うべきだろう。

そもそも、大事なことを聞き逃したのは、遅れて来た本人の自己責任なので、こちらがわざわざ説明する必要などないはずなのだが、それでは仕事がうまく進まない場合もあるので、やむを得ないと割り切るしかない。

このような態度を示せば、少なくとも3つのメリットがある。

1　あなたが時間に正確である、つまり几帳面《きちようめん》という印象を与えることができる。
2　時間通りに来る人の貴重な時間を尊重することになるので、そういう行動を続けるように励ますことができる。
3　遅れて来る人に気詰まりな思いをさせ欲求不満を与えるので、行動を改めるように促すことになる。

3については、どこまで効果があるのか疑問だが、「プライドが高くて迷惑な人」は、先ほど指摘したように特権意識ゆえに、「自分は遅れても許される」と勘違いしていることが多いので、「遅れたら嫌な思いをする」という経験をさせることによって、勘違いに気づかせるしかないのである。

他人の意見や助言を聞かない人への対処法

他人の意見を聞かないのは、多くの場合、プライドが高く自分が常に正しいと信じ込んでいるためである。そのため、自分が間違っていたと認めることはめったにないし、自分とは異なる意見に興味を示すこともほとんどない。

もし他の誰かが明らかな間違いや誤りを指摘したとしても、あるいは別の意見のほうが妥当だということを明確な根拠にもとづいて示したとしても、せいぜい「そういう見方もあるかもしれませんねえ」などとあいまいに答えるのが関の山である。

一事が万事この調子で、とにかく他人の話を聞かない。会議でも、他の人がまだ発言しているのに、平気で中断して話し始めることもあるので、しばしば反感や怒りを買うが、本人は全然気づいていない。

こういう人を説得するのは至難の業である。あなたが説得しようとして熱弁を振るえば振るうほど、向こうは自分のほうが正しいと意固地になるだろう。自分の殻に閉じこもって、自分の考えにますますしがみつくようになる可能性が高い。

しかも、たとえ内心では間違っているかもしれない、別の考えのほうが正しいかもしれないと密かに思っていたとしても、それを表に出すようなことはしない。他人に説得されて意見を変えることは、自分のほうが劣っていたと認めることと同じだと考えているので、そんなことが他人に知られてしまうのは恥以外の何物でもないと感じており、プライドが許さないのである。

なので、無理に説得しようなどという気は起こさず、真正面からぶつかるようなことはしないのが賢明だろう。とりあえず向こうの意見を聞いたうえで、「そんなふうにお考えになるのはどうしてなのですか?」「どういう根拠にもとづいているのですか?」などと尋ねてみてはどうだろうか。明確な理由も根拠もなく、単に個人的な経験や思い込みだけでものを言っている場合が少なくないからである。

もっとも、こういう人は自分が絶対正しいと思い込んでいるので、たとえ明確な理由も根拠もないことが露呈しても、意見を変えるわけではない。むしろ、ますます固執する可能性が高い。このような場合は、「それは、あなたの意見ですよね」とか、「それは、あなたの考え方ですよね」という言い方で、他の意見や考え方もあることをほのめかすしかない。

善かれと思って助言しても、向こうが聞き入れないこともあるだろう。私も精神科医として患者さんや家族の方に助言しても、受け入れていただけなくて困ったことが何度もある。そのときの経験から言えるのは、そういう場合はいくら説得してもムダだということである。

では、どうすればいいのか？　私は次のように言っている。

「～したほうがいいとは思うけれど、他人の私が１００％あなたの立場に身を置いて感じたり考えたりできるわけではないですよね。まあ、助言を受け入れて実行するかどうか決めるのはあなた自身なので、強制はしません」

こういう言い方は少々冷たいように聞こえるかもしれないが、プライドの高い方に対しては結構有効なようである。しばらくしてから、「～することにしました」という報告を聞くことが少なくない。

どうも、「助言を受け入れて実行するかどうか決めるのはあなた自身」というのが決め台詞のようで、他人に言われたから自分のやり方を変えたわけではなく、あくまでも自分で決めて実行したのだと自分に言い聞かせることができるためらしい。

もちろん、診察室での医師——患者の関係と、職場や家庭での人間関係は別物なので、一概には言えないものの、「プライドが高くて迷惑な人」に対しては、顔をつぶさないようにしながら、こちらの意見や助言を押しつけるのではなく、ほのめかす程度にしておく配慮が必要だと、つくづく思うのである。

第6章

自分がそうならないために

この章では、「プライドが高くて迷惑な人」に自分自身がならないようにするために、どんな点に気をつければいいのかについて述べることにしたい。

どれも当たり前のことだが、案外気づかなかったという方が結構多いはずだ。日々の生活の中でできるだけ気をつけて、「プライドが高くて迷惑な人」にならないようにしていただきたい。

自分を知る

「プライドが高くて迷惑な人」にならないために何よりも必要なのは、自分を知ることである。なぜそれが必要なのかというと、自分自身への過大評価のせいで陥りやすい「勘違い」を防ぐためである。これまで紹介した事例を振り返ればわかるように、プライドが高い人は、他人からの客観的な評価と、自分自身について抱いているイメージ、とくに自己愛を投影した理想像との間にズレを抱えていながら、それに気づいてないことが多い。しかも、この二つをしばしば混同しているせいで、「困ったちゃん」になってしまう。

この二つが完全に一致することなどありえないのだが、社長の御曹司だとか大物のコネで入社したとかで、周囲からちやほやされ少々のことであれば許容される環境にいると、現在の自分自身を客観的に見つめるのが難しくなる。そのせいで、思い込みが強くなったり、視野が狭くなったりしがちなので、そうならないためにこそ、自分を知ることが必要なのである。

では、自分の何を知るのか?

まず、何よりも現在の自分の能力と、その限界である。もちろん、他人からどう見られているかを気にしすぎるのは困りものだ。場合によっては、自意識過剰に陥ったり、他人の視線を恐れたりして、身動きがとれなくなるようなことにもなりかねない。

だが、自分の実力を過大評価して、周囲からの客観的な評価も助言も無視し続けていると、喜劇どころか悲劇を招くことになる。たとえば、全国模試の偏差値が50そこそこの高校生が、プライドが高く要求水準を下げられないせいで「自分にふさわしいのは東大だけ」と思い込んで、「東大にしか行きたくない」などとだだをこね、進路指導なんか無視して東大を受験した場合を思い浮かべていただきたい。

奇跡でも起こらない限り、失敗するだろう。それでも志望大学のレベルをなかなか落とせず、何年も浪人するような事態になれば、周囲の目には滑稽に映るだろうが、本人と家族にとっては悲劇以外の何物でもない。

ある時期までは勉強ができていたという生徒ほど、こうなるケースが多い。中学校までは「秀才」で通っていたのに、進学校に入学してついていけなくなったような高校生が一番陥りやすい。「秀才」ともてはやされた過去の栄光を忘れられず、そのプライドが災いして妥協できないからこそ、悲惨な事態を招いてしまうわけである。

プライドが高いせいで要求水準を下げられない傾向が、就職の際に出ることもある。

第3章で紹介したように、最近、就職留年を選択する大学生が増えているらしいが、「納得できる道」を模索して就職を先延ばしにしても、希望するようなブランド企業に入れなくてニートになってしまうかもしれない。

なので、「身の程知らず」などと言われないためにも、他人の客観的な評価をある程度は気にかけるべきだろう。それればかり気にして、他人から認められるにはどうすればいいのかということにとらわれすぎるのは考え物にせよ、そういうのを意に介さなかったら、ズレを修正することも勘違いに歯止めをかけることもできないだろう。

最近は、大ヒットした映画『アナと雪の女王』の劇中歌の影響で、「ありのままで」が流行語になったこともあって、「ありのまま」の自分を前面に押し出しても許されるとか、認めてもらって当然と思い込んでいる方がいらっしゃるようだが、とんでもない勘違いである。「ありのまま」の自分を受け入れてもらえないと愚痴をこぼしたり、他人を恨んだりするのは、傲慢な思い上がりにしか私には見えない。あの歌詞は、自分は何者なのかと葛藤している人に向けたメッセージであり、幼稚な大人のわがままを肯定するものではないはずだ。

職場、学校、家庭などで、多かれ少なかれ他人と関わりながら生きてゆかなければならない以上、あなたが自分自身について抱いているイメージと、他人からの客観的な評価とのズレはできるだけ小さいほうがいい。このズレが大きければ大きいほど勘違いしやすいからである。それを防ぐためにこそ、他人の目にあなたがどんなふうに映っているのかをある程度知っておくことが必要なのである。

そのためには、どうすればいいのか？

まず、他人の話を聞くこと、ときには進んで他人の意見や助言を求めることである。批判されることもあるかもしれない。それでも、そういうことを向こうがあなたに伝えてくれたこと自体に、それなりの意義と価値があるのだと受け止める姿勢を保つべきだ。

もちろん、全部真に受ける必要などない。中には、あなたをけなして自信を失わせようとするような人間だっているかもしれないのだから。あなたが耳にした意見や助言、ときには批判を取り入れるかどうか決めるのはあなた自身である。

他人の意見や助言に同意できなければ、「あなたのおっしゃりたいことはよくわかりました。貴重なご指摘、ありがとうございます。ですが、私の考え方はちょっと違うんですよね」というふうに言ってみてもいいだろう。他人から認められたいとか、気に入られたいという欲望が強いと、無理に合わせようとしがちだが、長い目で見ると、いい結果をもたらさないことが多い。

ただ、勘違いのもとになりやすいズレを修正するためには、やはり他人の話を聞くしかない。逆説的な言い方だが、他人の意見や助言を選り分けて、切り捨ててもかまわないと判断したものを聞き流せるようになるためにこそ、できるだけ多くの人の声に耳を傾けることが必要なのである。

感情を否認しない

プライドが高い人ほど、感情を否認する傾向が強い。揺れ動く気持ちを他人に見せるなんて耐えられないので、自分の感情を押し隠すし、自己愛の傷つきから身を守るために、ときには自分自身にさえ嘘をつくことだってある。

たとえば、人事異動の時期に、あなたは昇進できなかったのに、ライバルの同僚があなたの切望していたポストに就いた場合を想定していただきたい。しかも、よりによって辞令が出た当日に、別の同僚があなたに近寄って「がっかりしてない？」などと尋ねてきたら、あなたはどんなふうに答えるだろうか？

あるいは、あなたが女性で結婚しているとしよう。夫の会社が経営危機に陥っており、早期退職を募集していることが報じられている真っ最中に、隣の奥さんが「お宅のご主人の会社、大変なんですってね。ご主人はどうなさるの？」などと無神経に尋ね、おまけに「あら、ごめんなさい。こんなこと聞いたからって怒らないでね」などと言ってきたら、あなたはどんなふうに反応するだろうか？

これまでは出世競争で同期のトップを走ってきたのに、現在の部署で直属の上司との間にあつれきが生じた影響で、以前なら歯牙《しが》にもかけなかった同僚のほうが先に昇進してしまったとか、夫が一流企業に勤務していて、そこそこ出世してきたおかげで、他の奥様方から羨望のまなざしを向けられていたのに、最近の業績悪化の余波で夫もリストラ対象になりかねないというような場合、怒りと悔しさではらわたが煮えくり返るのではないか。

それでも、プライドの高い方ほど、そういう感情を表に出すのをじっとこらえて、「いいえ、全然」とか「今のご時世、リストラなんてどこにでもありますよ」とか答えるだろう。このように感情を否認するのは、何よりも体面を保つため、つまり自己防衛のためである。

世の中には「他人の不幸は蜜の味」という人間もいるので、場合によってはやせ我慢して、弱みを見せないようにすることも必要だ。だが、自分自身に対してまで感情を否認して嘘をつくようなことをしてはいけない。怒りや悔しさのような負の感情が自分の中にあるなんて認めたくないし、受け入れたくないだろうが、そういう感情を否認し続けていると、結局自分が困ることになる。

否認を続けていると、いったいどうなるのか？

負の感情を否認して、そんなものは自分の心の中にはないかのようにふるまっていても、そういう感情が消えてなくなるわけではないので、ゆがんだ形で突然出てくるのである。

怒らない「寛大さ」とは「いいところを見せたかったり、罰を下すのが面倒くさかったり、後で復讐されるのが怖いことから示すもの」とラ・ロシュフコーは言っている。つまり、虚栄心、怠惰、恐怖のせいで、怒りを否認して表に出せないだけだ。

こうした状態が続くと、くすぶった怒りを反転させて自分自身の心や体に向けるしかなく、うつや心身症などの病気になる恐れもある。あるいは、怒りを偽装してこそこそと陰湿な形で出すしかなく、つい「イケズ」をしてしまうこともあるだろう。

場合によっては、溜まりに溜まった怒りが突然爆発して、キレてしまうかもしれない。第2章で紹介した高齢の開業医のように、「プライドが高くて迷惑な人」がしばしば怒りを突然爆発させるのは、自分自身を過大評価していることにもよるが、虚栄心から自分の怒りを否認して押し隠しているうちに、溜まりに溜まった怒りのマグマが噴出することにもよるのではないか。

病気になったらつらい思いをするし、「イケズ」をしたら自己嫌悪にさいなまれるし、キレたら人間関係が悪くなる。こういう困った事態に陥りたくなければ、負の感情であっても否認せずに、それも自分の感情なのだと受け入れていただきたい。

そのうえで、そういう感情を溜め込まないように小出しにしていくことが必要になるが、そのためには自分の感情を言葉で伝える練習を積み重ねなければならない。とくに怒りや悔しさは、何かうまくいってないことがあるというサインなので、きちんと言葉で伝えることによって、それを引き起こした相手の言動を少しでも変えることができれば、キレずにすむはずである。

その際、何に対して怒りや悔しさを感じたのかを見きわめる必要がある。もし、自分はこんなにスゴイと思っているのに相手が認めてくれなかったとか、自分としては特別扱いしてほしかったのにその他大勢と同じように扱われたとか、相手を支配したかったのに自分の思い通りにはならなかったということに対してだったら、自分が「プライドが高くて迷惑な人」になりかけていないか、わが身を振り返らなければならない。

そのためにも、自分の中にあるとは認めたくない負の感情ほど、否認せずに自覚すべきだ。とても厄介だけれど、そうしなければ、抑圧した感情がゆがんだ形で突然出てきて、あなた自身が困ることになるのだから。

考えや要求を言葉できちんと伝える

感情だけでなく、自分の考えや要求も言葉できちんと伝える練習を積み重ねることが必要である。そうすれば、攻撃的にならずに断ることも、批判に対して落ち着いて対応することもできるようになるので、他人からの評価も上がるはずである。

ところが、プライドが高い人ほど、自分の考えや要求を言葉で表現するのをためらうようなところが往々にして見受けられる。これは、「わざわざ言わなくてもわかってもらって当然」という傲慢さにもよるのだろうが、むしろ、「こんなことを言ったら、軽蔑されてしまうのではないか」とか「こんなことを要求したら、お金に困っていると思われてしまうのではないか」という不安や恐怖が強いせいのようである。

いずれにせよ、うまく伝えられないので、欲求不満を募らせることになりやすい。欲求不満が積もりに積もった結果、「自分の考えや要求が何よりも重視されて尊重されるべきなのに、そうじゃない。なぜ、あんな奴の言うことなんか聞かなきゃいけないんだ！」という怒りを抱いて、他人の考えや要求を無視するようなこともある。

当然、向こうも反発するだろうが、前の章で繰り返し指摘したように、プライドが高い人ほど他人からの批判に敏感なので、「反論なんか許さない」と激高して、侮辱したり脅迫したりするようなことにもなりかねない。

これは、一番やってはいけないことである。マキアヴェッリが『政略論』でこう述べているように……。

「ある人物が、賢明で思慮に富む人物であることを実証する材料の一つは、たとえ言葉だけであっても他者を脅迫したり侮辱したりしないことであると言ってよい。

なぜならこの二つの行為とも、相手に害を与えるのに何の役にも立たないからである。

脅迫は、相手の要心を目覚めさせるだけだし、侮辱はこれまで以上の敵意をかき立たせるだけである。その結果、相手はそれまでは考えもしなかった強い執念をもって、あなたを破滅させようと決意するにちがいない」（塩野七生著『マキアヴェッリ語録』新潮文庫）

侮辱や脅迫という形での攻撃衝動の爆発は、自分の考えも要求も考慮してもらっていないという怒りや欲求不満が溜まりに溜まった末に起こりやすい。なので、こういう自滅を招くような言動を防ぐためにこそ、自分の考えや要求を言葉できちんと伝える練習を積み重ねていくべきである。

自分の弱点を受け入れる

プライドが高い人ほど、自分は完璧なのだと思いたがるからか、間違いや失敗、無知や経験不足などの弱点をなかなか認められないし、受け入れられない。そんなものがあるのは恥だという意識が非常に強いようである。

たとえば、自分の知らないことを知らないと言えないのも、プライドが高く、他人より劣っている点があると認められないせいであることが多い。こういう人にとっては、物知りの後輩の話なんかが非常につらい。

知り合いの男性は、「これ、典型的な不条理ですよね。『異邦人』みたいですよね」と聞かれたので、「あ、本当にそうだね」と答えたら「あ、先輩も『異邦人』読んだんですか？」と言われ、読んでもいないのに「うん」と答えてしまったらしい。その後、ネットでこっそり検索して、『異邦人』がカミュという作家の小説であることを知り、読もうと思ったものの、結局読んでいないので、今度その話が出たらどうしようとびくびくしているのだとか。

　こんなふうに知ったかぶりをした経験は、誰にでもあるだろう。もちろん私にもあり、この男性と同様に居心地の悪い思いをした。「聞くは一時の恥、聞かぬは一生の恥」ということわざがあるが、自分は知らないということを素直に認めて、『異邦人』がどんな物語なのかとか、どういうところが典型的な不条理なのかとか聞けば、びくびくせずにすんだはずである。また、『異邦人』に関していろいろ知ることもできただろうから、一石二鳥のはずなのに、プライドが災いして聞けないという方は結構いらっしゃるのではないか。

　あなたも、自分の知らないことを「知らない」と言えなかった経験をお持ちなら、「プライドが高くて迷惑な人」予備軍の可能性があるので、要注意だ。「プライドが高くて迷惑な人」になりたくなければ、まず、自分は決して完璧な人間ではなく、知らないこともあるし、ときには間違えることも失敗することもあると認めて受け入れることが必要である。こうした弱点を受け入れてはじめて、知るための、あるいは間違いや失敗を繰り返さないための一歩を踏み出すことができるのだから。

逆に、自分の弱点や限界から目をそむけたままだったら、自分自身への過大評価を修正することができないので、自己愛を投影した理想像を現実の自分の姿と錯覚してしまい、勘違いがますますひどくなるのである。

失敗はつきものと考える

自分の弱点を受け入れると同時に、失敗はあって当たり前というふうに考えることも必要である。もちろん、誰だって、失敗なんかしたくない。だが、何かを始めよう、何かを変えようとしたら、失敗するリスクは常につきまとう。リスクゼロということはありえない。

なので、何としても失敗を避けたいなどと思わないほうがいいだろう。もちろん、失敗しないように努力を積み重ねることも必要だが、絶対失敗してはいけないと肩に力が入りすぎていると、かえって失敗するものである。そうなれば、自己愛が傷つかないようにするために、自分の失敗を隠蔽して他人のせいにするようなことだってやってしまうかもしれない。

むしろ、人間である限り失敗はつきもので、失敗したときにどう対応するか、どんなふうにして乗り越えるかによって成功できるかどうかが決まるというふうに、発想の転換をしたほうがうまくいくはずである。

発想の転換をするには、まず何よりも、勝利か敗北か、成功か失敗かの二元論的考え方を捨てることが必要である。第3章で指摘したように、プライドの高い人は、完璧主義者であることが多いせいか、ゼロか100か、オール・オア・ナッシングで何でもとらえがちなので、敗北や失敗に弱い。

なまじ先を見通せる能力に恵まれていると、自分が勝利をつかめそうにないとか、成功できそうにないというふうに感じた時点で、努力をやめてしまうこともある。そうではなく、完全な勝利も完璧な成功もないし、敗北や失敗だってまるきり零点というわけではなく、その間にいくつもの段階があるのだから、少しでも上に行けるように頑張ろうと思えれば、努力を続けられるだろう。

また、「誰にだって失敗はある」という事実を受け止めることも必要である。誰でも失敗したことがあるし、これから失敗するかもしれないというのは、ごく当たり前の事実である。ところが、この当たり前の事実をなかなか受け入れられず、必要以上に失敗を恐れている方が多いようである。

なぜか？

誰だって、自分の失敗を恥と感じて隠したがり、よほど信頼できる相手でなければ自分の失敗談を話さないからである。そのため、「他の人は失敗なんかしない」と思い込んでいる方が少なくない。これは大間違いなので、まず、人間だから失敗することもあるという当たり前の事実に目を向けることから始めよう。

「失敗は成功のもと」ということわざもあるように、失敗しても、その原因を分析して以前のやり方を改めることができれば、かえって成功へとつながる。失敗することによって、自分の欠点や能力の限界も見きわめることができるので、失敗から学ぶことはたくさんあるはずである。

なので、「私、失敗しないので」という傲慢な姿勢ではなく、「何にでも失敗はつきもの」くらいの軽い気持ちで肩の力を抜いたほうが、うまくいくことが多い。もっとも、

「私、失敗するかも」と思い続けていたら、本当に失敗してしまうかもしれないので、それも考え物である。

大切なのは、失敗しても乗り越えられたという経験を積み重ねることである。失敗を克服した経験があれば、自信がついて、失敗を過度に恐れることがなくなり、畏縮せずにいろいろなことに挑戦できるだろう。

たとえば、2014年9月にテニス全米オープンの男子シングルスで準優勝した錦織圭選手は、2009年、まだ十代の頃に右肘を疲労骨折して、内視鏡手術を受けている。回復が長引いて試合に出場できず、一時は「もうコートに立てないかもしれない」ともらすほど弱気になっていたようだが、地道なリハビリを続けて、アジアの男子選手として初の四大大会ファイナリストという偉業を成し遂げたのである。

この快挙は、怪我による挫折も試合に負けるという失敗も乗り越えてきたからこそだと思えば、あなたも挫折や失敗をそんなに恐れずに、いろいろなことに立ち向かっていけるのではないだろうか。

地道な努力の積み重ねで自尊心を保つ

これまで紹介した事例を振り返ればわかるように、「プライドが高くて迷惑な人」は、実は自信がない場合が多い。言いかえれば、第2章で述べたように、自尊心を保つのが困難だからこそ、「幼児期のナルシシズムの残滓」に頼るしかなく、「自分は本当はスゴイんだ」と誇示して、他人から認められようとするのである。

自尊心をうまく保てないのは、「経験によって強化された全能感」も「対象リビドーの満足」もないせいである。裏返せば、努力や経験を地道に積み重ねて実績によって評価されるようになるとか、他人から愛されたり尊敬されたりするとかして健全な自尊心を維持できれば、自慢して称賛を求める必要も、特別扱いを要求する必要も、まして他人を支配することで自分の優位性を誇示する必要もなくなるわけである。

なので、「プライドが高くて迷惑な人」にならないようにするには、自尊心をどうやって保つかということも重要なポイントになる。

ただ、これは、なかなか難しい問題である。というのも、第2章で指摘したように大人になっても幼児的な万能感を引きずっているのが「プライドが高くて迷惑な人」の本質ではあるものの、だからといって、必ずしも万能感が満たされた幼児期を過ごしたわけではないからである。

むしろ、親から身勝手な自己愛を投影されて、どれだけ頑張っても認めてもらえなかったとか、「いい子」でいないと愛してもらえなかったという場合が少なくない。大金持ちの御曹子だと、おもちゃもお菓子も何不自由なく与えられたけれど、愛情には餓えていたという場合もある。

いずれにせよ、親との関係において基本的な信頼関係を築くことができなかったからこそ、その欠落感を埋め合わせるために幻想的な万能感に頼らざるを得ず、それを大人になっても引きずっているというのが本当のところのようである。

この幻想的な万能感は、経験に裏打ちされているわけではなく、空想の産物にすぎない。もちろん、実体なんかないので、常に他人と比較して、自分の優位性を誇示することでしか確認できない。それが、自慢するとか、特別扱いを求めるとか、他人を支配したがるという形で表れるのである。

もっとも、万能感が完全に満たされた幼児期を過ごした方なんてまれだろう。むしろ、何らかの欠落感を抱えていて幻想的な万能感に逃げ場を求めたという方がほとんどのはずである。裏返せば、だからこそ、誰でも「プライドが高くて迷惑な人」になりうるのだとも言える。

それでは、「プライドが高くて迷惑な人」になるか、ならないかの分岐点になるのはいったい何なのか？

結局のところ、「経験によって強化された全能感」もしくは「対象リビドーの満足」を大人になってから持てるように、経験を積み重ねたり、良好な人間関係を築いたりすることができるかどうかにつきる。

「対象リビドーの満足」は相手次第というところがあるが、「経験によって強化された全能感」は日頃の努力の積み重ねによって何とかなる。なので、あなたが今いる場所で、地道な努力を続けて自然に認められるようになるのが、「プライドが高くて迷惑な人」にならないための最善の方法なのである。

おわりに

最後までお読みになって、「プライドが高くて迷惑な人」って自分自身のことではないかと胸に手を当てた方、結構いらっしゃるのではないでしょうか。

仕事に必要な技術や情報を、「自分が苦労して手に入れたものだから」「自分が越えられたくないから」などという理由で後輩に教えなかったり、たまたま自分がその分野に詳しいだけなのに「こんなことも知らないの？」と他人を馬鹿にしてみたり、自分の持っているブランド品で周囲と張り合ったり、合コンの席で友人をやたらとおとしめたり……。こういった身近に見られる「困ったちゃん」的言動も、プライドが高いせいなのです。

かくいう私も偉そうに他人を批判できるほどご立派な人間ではなく、「こういうところ私にもあるわ」と思いながら、原稿を書きました。

まあ、私が人一倍プライドが高いからかもしれません。ただ、プライドは誰でも多かれ少なかれ持っているので、そのせいで意固地になったり、合理的な判断ができなくなったりするようなことが、ときにはあるでしょう。

ですから、「プライドが高くて困る人」を他人事として片づけるのではなく、「あんなふうにならないように気をつけよう」と自分自身の言動を振り返るまなざしを持ち続けてくださると本当にうれしいです。

なお、本文中で引用したラ・ロシュフコーの毒を含んだ言葉は、次のテキストを参照しています。

La Rochefoucald : "Maximes et Réflexions diverses" Flammarion 1999

本書の刊行に際しましては、『他人を攻撃せずにはいられない人』に引き続き、PHP研究所新書出版部の西村健さんと堀井紀公子さんに大変お世話になりました。原稿をていねいにお読みくださり、適切な助言を与えてくださったご厚意に心から感謝いたします。本当にありがとうございました。

二〇一四年十月

片田珠美

PHP新書

PHP INTERFACE
http://www.php.co.jp/

片田珠美［かただ・たまみ］

広島県生まれ。精神科医。京都大学非常勤講師。大阪大学医学部卒業。京都大学大学院人間・環境学研究科博士課程修了。人間・環境学博士(京都大学)。フランス政府給費留学生としてパリ第8大学精神分析学部でラカン派の精神分析を学ぶ。DEA(専門研究課程修了証書)取得。パリ第8大学博士課程中退。精神科医として臨床に携わり、臨床経験にもとづいて、犯罪心理や心の病の構造を分析。社会問題にも目を向け、社会の根底に潜む構造的な問題を精神分析的視点から分析。
『無差別殺人の精神分析』(新潮選書)、『一億総ガキ社会』(光文社新書)、『一億総うつ社会』(ちくま新書)、『正義という名の凶器』(ベスト新書)、『他人を攻撃せずにはいられない人』(PHP新書)など著書多数。

プライドが高くて迷惑な人

(PHP新書 952)

二〇一四年十月二十九日 第一版第一刷

著者――片田珠美
発行者――小林成彦
発行所――株式会社PHP研究所
東京本部――〒102-8331 千代田区一番町21
新書出版部 ☎03-3239-6298(編集)
普及一部 ☎03-3239-6233(販売)
京都本部――〒601-8411 京都市南区西九条北ノ内町11
制作協力 組版――株式会社PHPエディターズ・グループ
装幀者――芦澤泰偉+児崎雅淑
印刷所 製本所――図書印刷株式会社

ISBN978-4-569-82091-0

ＰＨＰ新書刊行にあたって

「繁栄を通じて平和と幸福を」(PEACE and HAPPINESS through PROSPERITY)の願いのもと、ＰＨＰ研究所が創設されて今年で五十周年を迎えます。その歩みは、日本人が先の戦争を乗り越え、並々ならぬ努力を続けて、今日の繁栄を築き上げてきた軌跡に重なります。

しかし、平和で豊かな生活を手にした現在、多くの日本人は、自分が何のために生きているのか、どのように生きていきたいのかを、見失いつつあるように思われます。そして、その間にも、日本国内や世界のみならず地球規模での大きな変化が日々生起し、解決すべき問題となって私たちのもとに押し寄せてきます。

このような時代に人生の確かな価値を見出し、生きる喜びに満ちあふれた社会を実現するために、いま何が求められているのでしょうか。それは、先達が培ってきた知恵を紡ぎ直すこと、その上で自分たち一人一人がおかれた現実と進むべき未来について丹念に考えていくこと以外にはありません。

その営みは、単なる知識に終わらない深い思索へ、そしてよく生きるための哲学への旅でもあります。弊所が創設五十周年を迎えましたのを機に、ＰＨＰ新書を創刊し、この新たな旅を読者と共に歩んでいきたいと思っています。多くの読者の共感と支援を心よりお願いいたします。

一九九六年十月

ＰＨＰ研究所

PHP新書

699 采配力《さいはいりょく》 川淵三郎
700 プロ弁護士の処世術 矢部正秋
726 最強の中国占星法 東海林秀樹
736 他人と比べずに生きるには 高田明和
742 みっともない老い方 川北義則
763 気にしない技術 香山リカ
772 人に認められなくてもいい 勢古浩爾
811 悩みを「力」に変える100の言葉 植西 聰
814 老いの災厄 鈴木健二
822 あなたのお金はどこに消えた? 本田 健
827 直感力 羽生善治
859 みっともないお金の使い方 川北義則
873 死後のプロデュース 金子稚子
885 年金に頼らない生き方 布施克彦
900 相続はふつうの家庭が一番もめる 曽根恵子
930 新版 親ができるのは「ほんの少しばかり」のこと 山田太一
938 東大卒プロゲーマー ときど
946 残業代がなくなる 海老原嗣生

[知的技術]

003 知性の磨きかた 林 望
025 ツキの法則 谷岡一郎
112 大人のための勉強法 和田秀樹
180 伝わる・揺さぶる! 文章を書く 山田ズーニー
203 上達の法則 岡本浩一
305 頭がいい人、悪い人の話し方 樋口裕一
351 頭がいい人、悪い人の〈言い訳〉術 樋口裕一
390 頭がいい人、悪い人の〈口ぐせ〉 樋口裕一
399 ラクして成果が上がる理系的仕事術 鎌田浩毅
404 「場の空気」が読める人、読めない人 福田 健
438 プロ弁護士の思考術 矢部正秋
573 1分で大切なことを伝える技術 齋藤 孝
605 1分間をムダにしない技術 和田秀樹
626 “口ベタ”でもうまく伝わる話し方 永崎一則
646 世界を知る力 寺島実郎
666 自慢がうまい人ほど成功する 樋口裕一
673 本番に強い脳と心のつくり方 苫米地英人
683 飛行機の操縦 坂井優基
717 プロアナウンサーの「伝える技術」 石川 顕
718 必ず覚える! 1分間アウトプット勉強法 齋藤 孝
728 論理的な伝え方を身につける 内山 力
732 うまく話せなくても生きていく方法 梶原しげる
733 超訳 マキャヴェリの言葉 本郷陽二
747 相手に9割しゃべらせる質問術 おちまさと

749 世界を知る力 日本創生編　寺島実郎
762 人を動かす対話術　岡田尊司
768 東大に合格する記憶術　宮口公寿
805 使える!「孫子の兵法」　齋藤 孝
810 とっさのひと言で心に刺さるコメント術　おちまさと
821 30秒で人を動かす話し方　岩田公雄
835 世界一のサービス　下野隆祥
838 瞬間の記憶力　楠木早紀
846 幸福になる「脳の使い方」　茂木健一郎
851 いい文章には型がある　吉岡友治
853 三週間で自分が変わる文字の書き方　菊地克仁
876 京大理系教授の伝える技術　鎌田浩毅
878 [実践]小説教室　根本昌夫
886 クイズ王の「超効率」勉強法　日高大介
899 脳を活かす伝え方、聞き方　茂木健一郎
929 人生にとって意味のある勉強法　隂山英男
933 すぐに使える! 頭がいい人の話し方　齋藤 孝
944 日本人が一生使える勉強法　竹田恒泰

[思想・哲学]

032 〈対話〉のない社会　中島義道
058 悲鳴をあげる身体　鷲田清一
083 「弱者」とはだれか　小浜逸郎
086 脳死・クローン・遺伝子治療　加藤尚武
223 不幸論　中島義道
468 「人間嫌い」のルール　中島義道
520 世界をつくった八大聖人　一条真也
555 哲学は人生の役に立つのか　木田 元
596 日本を創った思想家たち　鷲田小彌太
614 やっぱり、人はわかりあえない　中島義道/小浜逸郎
658 オッサンになる人、ならない人　富増章成
682 「肩の荷」をおろして生きる　上田紀行
721 人生をやり直すための哲学　小川仁志
733 吉本隆明と柄谷行人　合田正人
785 中村天風と「六然訓」　合田周平
856 現代語訳 西国立志編　サミュエル・スマイルズ[著]/中村正直[訳]/金谷俊一郎[現代語訳]
884 田辺元とハイデガー　合田正人

[地理・文化]

264 「国民の祝日」の由来がわかる小事典　所 功
332 ほんとうは日本に憧れる中国人　王 敏
465・466 [決定版]京都の寺社505を歩く(上・下)　山折哲雄/槇野 修

頁	タイトル	著者
781	チャイコフスキーがなぜか好き	亀山郁夫
820	心に訊く音楽、心に効く音楽	高橋幸宏
842	伊熊よし子のおいしい音楽案内	伊熊よし子
843	仲代達矢が語る 日本映画黄金時代	
905	美	春日太一
913	源静香は野比のび太と結婚するしかなかったのか	福原義春
916	乙女の絵画案内	中川右介
949	肖像画で読み解くイギリス史	和田彩花
		齊藤貴子

[自然・生命]

頁	タイトル	著者
208	火山はすごい	鎌田浩毅
299	脳死・臓器移植の本当の話	小松美彦
659	ブレイクスルーの科学者たち	竹内薫
777	どうして時間は「流れる」のか	二間瀬敏史
797	次に来る自然災害	鎌田浩毅
808	資源がわかればエネルギー問題が見える	鎌田浩毅
812	太平洋のレアアース泥が日本を救う	加藤泰浩
833	地震予報	串田嘉男
907	越境する大気汚染	畠山史郎
917	植物は人類最強の相棒である	田中修
927	数学は世界をこう見る	小島寛之
928	クラゲ 世にも美しい浮遊生活	村上龍男／下村脩

[宗教]

頁	タイトル	著者
123	お葬式をどうするか	ひろさちや
210	仏教の常識がわかる小事典	松濤弘道
300	梅原猛の『歎異抄』入門	梅原猛
834	日本史のなかのキリスト教	長島総一郎
849	禅が教える人生の答え	枡野俊明
868	あなたのお墓は誰が守るのか	枡野俊明

[歴史]

頁	タイトル	著者
005・006	日本を創った12人（前・後編）	堺屋太一
061	なぜ国家は衰亡するのか	中西輝政
146	地名で読む江戸の町	大石学
286	歴史学ってなんだ?	小田中直樹
384	戦国大名 県別国盗り物語	八幡和郎
446	戦国時代の大誤解	鈴木眞哉
449	龍馬暗殺の謎	木村幸比古
505	旧皇族が語る天皇の日本史	竹田恒泰
591	対論・異色昭和史	鶴見俊輔／上坂冬子
647	器量と人望 西郷隆盛という磁力	立元幸治
660	その時、歴史は動かなかった!?	鈴木眞哉

| 940 | 高校生が感動した物理の授業 | 為近和彦 |

663 日本人として知っておきたい近代史［明治篇］　中西輝政
677 イケメン幕末史　小日向えり
679 四字熟語で愉しむ中国史　塚本青史
704 坂本龍馬と北海道　原口 泉
725 蒋介石が愛した日本　関 榮次
734 謎解き「張作霖爆殺事件」　加藤康男
738 アメリカが畏怖した日本　渡部昇一
740 戦国時代の計略大全　鈴木眞哉
743 日本人はなぜ震災にへこたれないのか　関 裕二
748 詳説〈統帥綱領〉　柘植久慶
755 日本人はなぜ日本のことを知らないのか　竹田恒泰
759 大いなる謎 平清盛　川口素生
761 真田三代　平山 優
776 はじめてのノモンハン事件　森山康平
784 日本古代史を科学する　中田 力
791 『古事記』と壬申の乱　関 裕二
802 後白河上皇「絵巻物」の力で武士に勝った帝　小林泰三
837 八重と会津落城　星 亮一
848 院政とは何だったか　岡野友彦
864 京都奇才物語　丘 眞奈美
865 徳川某重大事件　徳川宗英
903 アジアを救った近代日本史講義　渡辺利夫
922 木材・石炭・シェールガス　石井 彰
943 科学者が読み解く日本建国史　中田 力

［**経済・経営**］

078 アダム・スミスの誤算　佐伯啓思
079 ケインズの予言　佐伯啓思
187 働くひとのためのキャリア・デザイン　金井壽宏
379 なぜトヨタは人を育てるのがうまいのか　若松義人
450 トヨタの上司は現場で何を伝えているのか　若松義人
526 トヨタの社員は机で仕事をしない　若松義人
543 ハイエク 知識社会の自由主義　池田信夫
587 微分・積分を知らずに経営を語るな　内山 力
594 新しい資本主義　原 丈人
603 凡人が一流になるルール　齋藤 孝
620 自分らしいキャリアのつくり方　高橋俊介
645 型破りのコーチング　平尾誠二／金井壽宏
710 お金の流れが変わった！　大前研一
750 大災害の経済学　林 敏彦
752 日本企業にいま大切なこと　野中郁次郎／遠藤 功
775 なぜ韓国企業は世界で勝てるのか　金 美徳
778 課長になれない人の特徴　内山 力
790 一生食べられる働き方　村上憲郎

806 一億人に伝えたい働き方 鶴岡弘之
818 若者、バカ者、よそ者 真壁昭夫
852 ドラッカーとオーケストラの組織論 山岸淳子
863 預けたお金が紙くずになる 津田倫男
871 確率を知らずに計画を立てるな 内山 力
882 成長戦略のまやかし 小幡 績
887 そして日本経済が世界の希望になる
ポール・クルーグマン〔著〕／山形浩生〔監修・解説〕／大野和基〔訳〕
892 知の最先端 クレイトン・クリステンセンほか〔著〕／
大野和基〔インタビュー・編〕
901 ホワイト企業 高橋俊介
908 インフレどころか世界はデフレで蘇る 中原圭介
926 抗がん剤が効く人、効かない人 長尾和宏
932 なぜローカル経済から日本は甦るのか 冨山和彦

〔政治・外交〕

318・319 憲法で読むアメリカ史(上・下) 阿川尚之
326 イギリスの情報外交 小谷 賢
413 歴代総理の通信簿 八幡和郎
426 日本人としてこれだけは知っておきたいこと 中西輝政
631 地方議員 佐々木信夫
644 誰も書けなかった国会議員の話 川田龍平
667 アメリカが日本を捨てるとき 古森義久
686 アメリカ・イラン開戦前夜 宮田 律
688 真の保守とは何か 岡崎久彦
729 国家の存亡 関岡英之
745 官僚の責任 古賀茂明
746 ほんとうは強い日本 田母神俊雄
795 防衛戦略とは何か 西村繁樹
807 ほんとうは危ない日本 田母神俊雄
826 迫りくる日中冷戦の時代 中西輝政
841 日本の「情報と外交」 孫崎 享
874 憲法問題 伊藤 真
881 官房長官を見れば政権の実力がわかる 菊池正史
891 利権の復活 古賀茂明
893 語られざる中国の結末 宮家邦彦
898 なぜ中国から離れると日本はうまくいくのか 石 平
920 テレビが伝えない憲法の話 木村草太
931 中国の大問題 丹羽宇一郎